D0275034

PENSER MIEUX

Couverture
- Conception:
  GAÉTAN FORCILLO

Maquette intérieure
- Conception graphique:
  JEAN-GUY FOURNIER

DISTRIBUTEURS EXCLUSIFS:

- Pour le Canada:
AGENCE DE DISTRIBUTION POPULAIRE INC.*
955, rue Amherst, Montréal H2L 3K4 (tél.: 514-523-1182)
*Filiale de Sogides Ltée

- Pour la France et l'Afrique:
INTER-FORUM
13, rue de la Glacière, 75013 Paris (tél.: 570-1180)

- Pour la Belgique, la Suisse, le Portugal, les pays de l'Est:
S.A. VANDER
Avenue des Volontaires 321, 1150 Bruxelles (tél.: 02-762-0662)

Dr David Lewis · James Greene

PENSER MIEUX

traduit de l'américain
par
Christine Balta

 le jour,
éditeur

Ce livre a été publié en américain sous le titre:
Thinking Better
chez Rawson, Wade Publishers, Inc.

Bibliothèque nationale du Québec
Dépôt légal — 1er trimestre 1983

ISBN 2-89044-117-2

Lorsqu'un ouvrage a deux auteurs, l'ordre dans lequel chacun des noms doit apparaître est une décision délicate à prendre. James Green est l'auteur principal de ce livre, il a fourni la plus grande partie des informations qui s'y trouvent. C'est lui aussi qui a voulu que la décision se fasse à pile ou face. Il a sans doute été victime de ce que nous avons appelé "le syndrome du joueur" — infortune que vous, lecteur, apprendrez à éviter en suivant nos recommandations à la section trois de la cinquième étape de ce livre.

Ce livre est chaleureusement dédié à nos nombreux collègues du Mind Potential Study Group, qui nous ont aidés dans la recherche sur laquelle nous avons ensuite bâti ce programme. Nous le dédions également au nombre encore plus grand de volontaires qui nous ont permis de passer de la théorie à la pratique.

Les esprits bien préparés sont les temples du savoir.

Jean-Jacques Rousseau

Présentation

Penser mieux
à tout âge

Ce livre a pour thème l'intelligence, ainsi que les diverses techniques permettant de la développer au maximum. En cinq étapes faciles à maîtriser, vous apprendrez à renforcer et à améliorer ce qui constitue les rouages essentiels du raisonnement. Nous vous montrerons comment évaluer votre propre démarche intellectuelle, votre façon de faire des apprentissages, de résoudre des problèmes, ou de prendre des décisions. Nous vous expliquerons dans quelle mesure le fait de bien se connaître permet de rendre toute démarche mentale, quelle qu'elle soit, plus rapide et plus efficace.

Les techniques dont il sera question ici ont été conçues pour vous aider à améliorer le fonctionnement de votre cerveau, quelle que soit l'opinion que vous ayez de vos possibilités actuelles. Si vous estimez avoir un niveau intellectuel élevé, ce cours vous aidera à mieux résoudre de nouveaux problèmes. Si, du fait d'échecs antérieurs, vous doutez de vos capacités, ne vous découragez pas, car, vous le découvrirez bientôt, votre esprit est en quelque sorte "programmé" pour réussir, et tout le monde peut y arriver, à tout âge.

Suivre un cours exige qu'on y consacre du temps, et vous vous demandez sans doute quels bénéfices vous tirerez de notre programme. Après avoir suivi notre cours, la plupart des gens notent quatre champs principaux d'amélioration. Ils peuvent maintenant:

11

- Prendre des décisions plus vite et plus facilement, même dans des cas particulièrement délicats et complexes — décisions qui se sont avérées être les bonnes.
- Apprendre et mémoriser une matière nouvelle rapidement, avec précision et facilité, qu'il s'agisse de la matière d'un examen, d'une conférence, de poèmes ou d'une langue étrangère.
- Trouver des solutions plus créatives à des problèmes nécessitant une approche originale — et par voie de conséquence, vivre pleinement leur créativité dans plusieurs autres domaines.
- Réduire les tensions psychiques et physiques qu'entraîne un travail difficile, et par le fait même obtenir des résultats plus rapides et de meilleure qualité.

Nous pouvons affirmer que ces effets, d'ailleurs loin d'être exhaustifs, sont accessibles à tous les lecteurs de ce livre. Pendant six ans, nous avons enseigné à des hommes, des femmes et des enfants de milieux très différents comment réaliser ce genre d'objectifs. Nos étudiants se sont exercés à une façon de penser plus rigoureuse, nous leur avons fourni l'aide et les outils nécessaires pour découvrir en eux des aptitudes inexplorées et inutilisées. Ainsi, ce cours ne leur a-t-il rien "donné" qu'ils ne possédaient déjà.

Ce que nous avons pu leur donner, et c'est également le but de cet ouvrage, c'est la clé permettant d'accéder à ces capacités intellectuelles et, par la suite, de les utiliser pleinement.

Penser mieux, c'est être capable d'entreprendre en toute confiance n'importe quelle activité intellectuelle. C'est atteindre des objectifs qui peuvent paraître aujourd'hui inaccessibles: obtenir une promotion plus rapide, apprendre une langue étrangère pour mieux profiter d'un voyage, entreprendre un sport nouveau, aider ses enfants dans leurs études, s'adonner à un passe-temps exigeant, ou encore parfaire sa formation scolaire pour le simple plaisir d'apprendre.

Lorsque les étudiants s'inscrivent à nos ateliers, nous leur demandons de préciser leurs objectifs et leurs attentes. Ceci permettra par la suite d'évaluer objectivement leur travail et leurs progrès. De plus, en comparant ces buts initiaux aux résultats obtenus, on pourra dresser un tableau fidèle et précis des apports réels d'une pensée mieux orientée.

Voici ce que nous appellerons un profil des objectifs et des gains, qui a été établi à partir de quelque trois cents cas:

Je désire être plus qualifié afin d'obtenir une promotion plus rapide à l'intérieur de ma compagnie, ou me réorienter dans une carrière plus stimulante intellectuellement .... 34 %
Succès total .... 80 %
Amélioration notable .... 11 %

Je veux pouvoir résoudre plus efficacement des problèmes et améliorer mon jugement sur le plan décisionnel .... 20 %
Succès total .... 90 %
Amélioration notable .... 8 %

Je veux mieux comprendre les études de mes enfants pour les aider s'ils ont un problème .... 10 %
Succès total .... 80 %
Amélioration notable .... 12 %

Je désire reprendre des études à plein temps (ou à temps partiel) et me sentir à l'aise parmi les plus jeunes .... 10 %
Succès total .... 75 %
Succès appréciable .... 8 %

Je veux poursuivre une activité exigeante intellectuellement pour le plaisir de garder l'esprit actif .... 6 %
Succès appréciable .... 87 %
Résultat très satisfaisant .... 11 %

Les objectifs énumérés sont, comme vous le voyez, très divers, mais le taux de réussite est très élevé lorsque les techniques enseignées sont mises en pratique de façon régulière. Il est certain que la motivation est un important facteur de réussite, mais on sait aussi que les individus qui ont le désir profond d'améliorer leur potentiel et qui sont à la recherche de techniques pour y parvenir comptent parmi les personnes les plus ambitieuses et les plus motivées de notre société. En général, lorsque quelqu'un est obligé d'abandonner un travail ou des études difficiles, c'est par manque de rigueur, manque de confiance en soi, et par crainte de l'échec. Une personne habituée à penser "juste" garde confiance, et surmonte plus facilement les difficultés.

Dans bien des cas, les gens s'avouent vaincus avant même d'avoir commencé car ils sont pétris d'idées préconçues, que nous appelons ici des mythes. Très répandus, ceux-ci ont pour effet de bloquer tout développement intellectuel. Ces préjugés vous ont peut-être déjà, vous aussi, empêché d'agir.

Mythe numéro un — "Je ne suis pas né intelligent"

Cette affirmation n'a aucun sens. Mais ce mythe est particulièrement tenace car il permet de rejeter la responsabilité de ses échecs sur son patrimoine génétique, autrement dit sur "les autres". Les étudiants qui ont toujours de mauvaises notes peuvent se dire: "Je ne suis pas doué pour les études, je n'ai pas l'intelligence voulue", et certains professeurs incompétents justifient les mauvais résultats de leurs élèves en se plaignant qu'ils ne peuvent rien faire avec des enfants qui sont de toute façon "voués à l'échec".

Ulrich Neisser, l'un des spécialistes d'avant-garde dans le domaine du fonctionnement cérébral, remet les choses à leur place: "Chez l'être humain, le processus cognitif est bien plus un ensemble d'aptitudes acquises que l'opération d'un mécanisme fixe et unique[1]."

En d'autres termes, l'intelligence n'est pas innée, mais s'acquiert par l'expérience. Ceci ne veut évidemment pas dire que l'hérédité ne joue aucun rôle. L'intelligence d'un individu dépend pour une part de la structure purement physique de son cerveau, et cette dernière, elle, est déterminée par le patrimoine génétique. Il faut également reconnaître que l'organisation génétique la plus efficace restera dans les limites des processus biochimiques établissant le relais au cerveau. Lorsqu'on se coupe, il s'écoule un certain temps avant que le signal de douleur ne parvienne au cerveau. De la même façon, il faut un certain laps de temps pour que les données passent d'un hémisphère à l'autre. On doit cependant signaler à ce sujet que, grâce à un entraînement approprié, on peut accélérer la vitesse des transmissions nerveuses.

Mais ces considérations d'ordre génétique n'ont aucun intérêt pratique pour celui ou celle qui cherche à améliorer la qualité de son raisonnement. En outre, nous savons que nous ne développons jamais complètement notre potentiel, et que tout défi stimule et améliore nos aptitudes. Le cerveau de l'homme moderne n'est guère différent biologiquement de celui de l'homme de l'âge de bronze, cependant l'homme du XXe siècle explore l'espace, construit des cerveaux électroniques et comprend des concepts scientifiques très poussés. Plus on exerce son intelligence, plus elle s'affirme.

L'évaluation que l'on fait de ses capacités intellectuelles constitue un facteur déterminant quant à leur développement ultérieur. C'est pourquoi le mythe de l'intelligence acquise à la naissance est si destructif: penser qu'on ne réussira jamais équivaut à condamner son esprit à perpétuité. Seul un changement d'attitude rendra à votre esprit sa liberté de fonctionner, et souvent bien mieux que vous ne l'auriez cru possible. Il y a quelques années, une étude fort révélatrice fut menée dans une école de la Nouvelle-Angleterre par deux chercheurs, Richard Rosenthal et Leonore Jacobson[2]. Voici comment ceux-ci réussirent à changer la perception que les élèves avaient d'eux-mêmes ainsi que l'attitude des professeurs à leur égard.

À la fin de l'été, on informa le personnel enseignant que certains enfants se montraient particulièrement "doués" et qu'il fallait par conséquent s'attendre à ce qu'ils obtiennent de bons résultats scolaires. Rosenthal et Jacobson avaient en fait choisi quelques élèves au hasard, qui ne montraient aucun talent particulier. Au bout de plusieurs mois, ceux-ci avaient obtenu des résultats nettement supérieurs à ceux des autres enfants. Or, ce phénomène s'explique de deux façons: d'une part, les professeurs qui s'attendaient à de bons résultats ont pu, par leur attitude positive, favoriser en quelque sorte le succès des écoliers; d'autre part, ces derniers se sentant en confiance ont pu développer une image positive d'eux-mêmes, en "répondant" aux attentes des professeurs. Si vous croyez en votre valeur, et si votre entourage corrobore l'opinion positive que vous avez de vous-même, vous avez toutes les chances de développer votre potentiel intellectuel.

Le cerveau est un merveilleux outil d'apprentissage qui enregistre le moindre message négatif; il faut donc être vigilant et éviter de nuire au développement de l'intelligence.

Mythe numéro deux — "J'ai une mémoire catastrophique"

Idée préconçue tout aussi répandue que la précédente, et tout aussi erronée. Le cerveau humain peut retenir des milliards de données. Des recherches ont montré que la multitude d'informations acquises depuis la petite enfance, et apparemment oubliées, sont en fait imprimées de manière indélébile dans la mémoire. Les difficultés qui peuvent surgir lorsqu'on cherche à se rappeler des faits récents sont dues à un mécanisme de recouvrement défectueux, non à un mauvais "stockage".

C'est vers la fin des années cinquante que le Dr Wilder Penfield de l'Institut de Neurologie de Montréal, effectuant des opérations sur le cerveau, permit d'entrevoir les prodigieuses capacités de la mémoire. Le Dr Penfield tentait de guérir des patients épileptiques en stimulant électriquement certaines régions du cerveau[3]. L'opération se pratiquait sous anesthésie locale, puisque le cerveau est insensible à la douleur. Ainsi, les patients étaient-ils parfaitement conscients et éveillés. Stimulant la matière grise à l'aide de sa sonde électrique, le chirurgien découvrit avec surprise que le léger courant faisait surgir chez les patients des souvenirs précis et vivants.

''Je vois un homme franchir la barrière pendant le match de base-ball'', s'écria un malade à l'instant où le courant passait dans la partie supérieure de son lobe frontal. ''On est au milieu du match, je suis là et je regarde cet homme.''

À chaque région stimulée correspondait un souvenir particulier. Une femme se mit à décrire en détail le bureau dans lequel elle avait travaillé, puis elle se remémora une soirée passée au théâtre. Un autre point du cortex évoquait ensuite ses souvenirs d'enfance dans un chantier de scierie où elle avait coutume de jouer. Ces interventions faisaient surgir une foule de sons et d'images d'une précision et d'une puissance incroyables. Ainsi, un léger courant électrique faisait du cerveau humain une sorte de maison hantée de souvenirs que l'on croyait à jamais enterrés.

Nous savons aujourd'hui qu'il n'est pas nécessaire d'avoir recours à des stimulations électriques, même légères, pour aider des gens à se remémorer des faits qu'ils croyaient avoir oubliés à jamais. Dans de nombreux pays, les forces de police font appel à l'hypnose pour retrouver des indices importants concernant certains crimes. En Israël, les autorités firent appel à un hypnotiseur pour les aider à identifier une voiture ayant servi lors d'un attentat à la bombe. Les témoins de l'incident croyaient avoir tout dit de ce qu'ils avaient vu. Mais sous hypnose, un homme réussit à ''lire'' la plaque de la voiture en cause, et en communiqua le numéro aux policiers. Cette preuve permit d'arrêter les criminels. Dans de tels cas, seule l'hypnose pouvait fournir des résultats aussi probants.

Les données les plus convaincantes dans le domaine du fonctionnement de la mémoire ont sans doute été fournies par deux chercheurs américains, Robert Reiff et Martin Sheerer[4]. Là encore, on utilisa l'hypnose; non pas, cette fois, pour arrêter des malfaiteurs, mais pour faire régresser les patients jusqu'à leur petite enfance. Ainsi des adultes furent-ils capables de revivre n'importe quel jour de leurs années d'école. Non seulement arrivaient-ils à se souvenir de la salle de classe, des cours, de leurs compagnons, mais ils revoyaient même les titres des ouvrages étudiés. Au cours d'études connexes, Robert True, du Collège de Médecine de l'Université du Vermont, réussit à faire revivre à des patients des jours bien précis de leur enfance[5]. Il découvrit que 93 % de ses sujets pouvaient dire quel jour de la semaine était tombé leur dixième anniversaire, et 69 % quel jour était tombé leur quatrième anniversaire.

Les psychologues pour enfants estiment que 20 % des jeunes enfants possèdent une mémoire eidétique (plus couramment nommée mémoire photographique).

Ces enfants peuvent décrire dans les moindres détails les scènes dont leur esprit a conservé le souvenir. La plupart d'entre eux perdent cette faculté vers l'âge de dix ans, et bien peu d'adultes possèdent cette fabuleuse mémoire. Cependant, cela ne signifie pas que cette faculté soit à jamais perdue. Le psychologue Neil Walker[6] a démontré que cette "super mémoire" reste latente chez ceux qui la possédaient dans leur enfance. Grâce à l'hypnose, il réussit à faire régresser des sujets jusqu'à l'âge de sept ans, âge où la mémoire photographique est la plus active.

La prodigieuse mémoire du journaliste russe Solomon Veniaminoff a défrayé toutes les choniques, et le grand psychologue soviétique Alexander Luria[7] en a fait une étude minutieuse. Veniaminoff avait une mémoire qui lui permettait de se rappeler un horaire de chemin de fer entrevu quelques secondes vingt ans auparavant. On s'aperçut de sa prodigieuse mémoire lorsque le rédacteur en chef du journal où il travaillait lui reprocha de ne jamais prendre de notes. Veniaminoff se défendit en répétant mot pour mot l'entretien qui venait d'avoir lieu. Très impressionné, son directeur lui permit de se fier à sa seule mémoire, qui lui était à bien des égards plus précieuse qu'un calepin de notes.

Nous savons aujourd'hui que ce type de mémoire est latent chez bien des gens. De nombreuses observations en témoignent. Appelée *hypermnésie* par les psychologues, cette faculté permet une fixation quasi photographique des événements, ainsi qu'une parfaite mémorisation. L'hypermnésique est capable de donner des descriptions très détaillées de sons, d'images, d'odeurs et d'impressions tactiles; souvenirs qui auront ressurgi très souvent après plusieurs années.

Au cours d'une des recherches les plus importantes sur l'hypermnésie, G.M. Stratton[8], de l'Université de Californie, interrogea deux cent vingt-cinq adultes choisis au hasard, et découvrit qu'une personne sur dix faisait état de cette mémoire. Des chercheurs ont conclu que les souvenirs qui surgissaient avec le plus d'acuité se révélaient particulièrement chargés d'émotion pour la personne concernée: danger, choc, peur, moments de grande joie ou de profonde tristesse.

Il est certain que notre mémoire est bien meilleure que nous le croyons. Le problème consiste souvent en un défaut d'"'aiguillage'', plutôt qu'en une absence de souvenirs. De récentes expériences ont montré qu'en suivant une technique simple, dont nous vous parlerons à la troisième étape de notre programme, tout le monde peut développer un certain degré d'hypermnésie. Grâce à cette méthode, vous retiendrez mieux ce que vous avez appris, et découvrirez ainsi que votre mémoire s'améliore avec le temps.

Mythe numéro trois —
"Le cerveau se rouille en vieillissant"

Ce préjugé relatif à la vieillesse est l'un des plus dommageables de notre époque. On sait que les individus perdent leurs capacités intellectuelles lorsqu'ils se conforment à des stéréotypes. En d'autres termes, si on dit à un enfant qu'il est sot, il le deviendra certainement, afin de correspondre à l'image qu'on lui renvoie. De la même façon, on associe tellement la vieillesse au gâtisme que les personnes âgées ont bien du mal à ne pas tomber dans ce piège.

C'est un cercle vicieux qu'il est parfois difficile de briser: se croyant incapables de relever des défis sur le plan intellectuel, les gens âgés se sclérosent. Privés de stimuli et de nouveauté, ils s'enterrent dans la monotonie.

Tout comme les autres organes du corps humain, le cerveau a besoin d'exercice pour bien fonctionner. Sans cela, les muscles s'affaiblissent, la vitalité et l'énergie déclinent. Or les personnes âgées, privées de la stimulation qu'apporte un travail exigeant, n'ayant plus de décisions délicates à prendre ou de problèmes à résoudre, et n'exerçant plus leur mémoire puisque, dit-on, "les vieux n'ont plus toute leur tête", voient rapidement décliner leur potentiel intellectuel.

Ce préjugé est tenace parce qu'on a longtemps cru qu'avec les années les cellules du cerveau mouraient, sans se régénérer comme le font les autres cellules du corps.

Marian Diamond[9], neuroanatomiste éminente, apporta un tout nouvel éclairage sur cette question, grâce à ses expériences sur des animaux. Elle démontra clairement que la chute du nombre des cellules, causée par le vieillissement, était, bien que réelle, assez minime.

Une personne âgée n'éprouve pas plus de difficulté qu'une autre à apprendre quelque chose de nouveau, ou à résoudre des problèmes. C'est du moins l'avis de Geoffrey Naylor et d'Elsie Harwood, chercheurs à l'Université de Queensland en Australie[10], qui durant six mois ont mené auprès d'un groupe de personnes âgées, une étude sur leur capacité d'apprentissage en leur faisant suivre un cours d'allemand.

Totalisant quelque mille ans, ces étudiants comptaient certes parmi les sujets les plus "mûrs" de l'histoire de l'éducation. Mais le fait que chacun d'eux ait été âgé de plus de soixante ans ne les empêcha aucunement de fournir un travail assidu, et de réussir à maîtriser cette langue étrangère avec succès. Chaque étudiant devait suivre deux heures de cours par semaine, et étudier au moins une heure par jour chez lui. En l'espace de six mois, la majorité des étudiants avait atteint le même niveau que des élèves du post-secondaire après deux ans de cours réguliers.

Le docteur Naylor déclara: "Loin d'être irresponsables, ou incapables de mémoriser la matière enseignée, les étudiants ont fait preuve d'une détermination et d'une volonté dignes d'élèves de quinze ans."

Des résultats analogues furent obtenus à l'Université de San Diego[11] où des personnes du troisième âge suivirent sur le campus une série de cours intensifs comprenant plusieurs matières académiques et un entraînement physique.

"Absolument extraordinaire", commenta un des organisateurs du cours. Les résultats obtenus furent "supérieurs à toute attente".

Or, cette mémoire quasi illimitée, et cette faculté de résoudre des problèmes, vous les possédez vous aussi.

Vous avez certainement déjà ressenti l'excitation et la confiance en soi que procure le plein exercice de vos facultés intellectuelles. D'après les études du Professeur Abraham Maslow, de l'Université Brandeis[12], père de la psychologie humaniste, nous avons tous été en contact, à un moment de notre vie, avec cette force qui est le propre de l'intelligence humaine. Selon le Professeur Maslow, nous entrons en contact avec cette force intérieure au cours de ce qu'il appelait des "expériences de pointe", au moment où le corps et l'esprit fonctionnent en parfaite harmonie, et où l'on *sait* que la tâche à accomplir le sera avec succès, quelle que soit sa difficulté. Nous avons tous connu de tels instants au cours de notre vie. Peut-être en gardez-vous un souvenir très précis. Le doute n'existe plus, les obstacles sont franchis, on a la certitude de réussir parfaitement. Maslow disait: "Nous recevons comme des signaux intérieurs. Nous entendons des voix nous dire avec force: "N'hésite pas, fonce.""

Comme Maslow l'a démontré, au cours de telles expériences, le rendement individuel s'améliore considérablement. Après avoir interrogé des milliers d'hommes et de femmes à travers les États-Unis, il en arriva à la conclusion que ce phénomène se produit généralement lors de travaux intellectuels exigeants, tels que l'apprentissage, la résolution de problèmes ou la prise de décision. Des étudiants passent leurs examens en étant certains d'avoir donné les réponses exactes, et ne redoutent pas les résultats. Des hommes d'affaires prennent les bonnes décisions en ressentant une confiance absolue dans leur jugement. Certains scientifiques ont soudain un "éclair de génie" et trouvent la solution à des problèmes qui leur semblaient insolubles.

Si vous ne vous rappelez pas maintenant avoir vécu de tels instants, consacrez quelques minutes chaque jour à y réfléchir. Ces expériences de pointe ne représentent qu'une petite partie de ce que votre cerveau peu accomplir lorsqu'il est correctement utilisé. Grâce aux techniques que nous avons mises au point, nous tâchons de faire que ces moments privilégiés s'inscrivent dans le quotidien.

Notre laboratoire, intégré au Mind Potential Study Group de Londres (Groupe d'étude sur le potentiel intellectuel) ne ressemble pas aux autres centres de recherche. Des fauteuils confortables, des plantes et un distributeur à café remplacent les bancs et les consoles d'équipements électroniques. Il est vrai que nous possédons un ordinateur situé dans une salle retirée, et que les armoires sont remplies d'instruments tels qu'un tachistoscope, qui sert à mesurer les temps de réaction, une installation de biofeedback qui mesure les niveaux de stress, ainsi que divers appareils d'enregistrement audio-visuels, que nous utilisons lors de séances expérimentales. Mais notre laboratoire ressemble malgré tout plus à un salon qu'à un centre de recherche.

Lors d'une expérience type — si tant est qu'il en existe — le sujet est confortablement installé dans un fauteuil et regarde un écran de télévision. Les images proviennent d'un ordinateur. Le sujet doit essayer de résoudre de son mieux les problèmes qui lui sont soumis (mémorisation, résolution de problèmes, ou prises de décisions). On peut demander à la personne d'exposer à voix haute sa solution, ou de lire sa décision, ou encore de se servir d'un stylo électronique, ou d'un clavier pour écrire sa réponse. Selon le type de recherche, l'ordinateur garde les réponses en mémoire pour une analyse ultérieure, ou réagit à la réponse donnée. Dans le cas d'une série d'expériences que nous menons depuis quelques années, nous demandons à des adultes et à de jeunes adolescents de résoudre divers problèmes mathématiques. Pendant qu'ils tapent leurs solutions, l'ordinateur analyse la logique du raisonnement, détecte les erreurs éventuelles et peut, suivant les cas, donner une analyse des réponses, ou fournir automatiquement une autre série de problèmes qui aura pour but de renforcer les points faibles du sujet. Avant longtemps, nous espérons que ces professeurs électroniques feront partie intégrante de l'école, et qu'ils fourniront ainsi une aide patiente et attentive aux étudiants qui ont des problèmes en mathématiques.

Certains jours, le laboratoire offre un tout autre aspect. Un groupe de sujets regardent un enregistrement video sur un moniteur de télévision; cinq fils relient leur tête et leur corps à des instruments d'évaluation. On étudie ainsi certaines réactions physiologiques telles que l'activité électrique du cerveau, les variations de conductivité de la peau dues à l'anxiété, l'augmentation des battements cardiaques, la tension artérielle et musculaire suivant divers niveaux de stress. Nos sujets proviennent de milieux très différents: directeurs de compagnie, ménagères, professeurs, ou travailleurs manuels. Nous leur demandons de regarder des séquences sur l'écran de télévision, puis de résoudre chaque dilemme proposé. Les décisions s'expriment soit en appuyant immédiatement sur des boutons, soit en discutant longuement en groupe. Certains scénarios exposent des situations plutôt banales, d'autres placent les personnages dans des situations de vie ou de mort. Chaque scène est conçue dans le but d'étudier le processus décisionnel, et plus généralement, tout rendement intellectuel.

David Lewis, l'un des auteurs de cet ouvrage, est diplômé en psychologie, en neurologie et en communication. Il effectua d'abord des recherches en psychologie clinique, étudiant les effets du stress sur le rendement physique et psychologique. Par la suite, il participa à des programmes de soins destinés aux personnes souffrant d'angoisse et de phobies. Tentant de découvrir les causes de ces malaises, il se pencha sur le développement de l'enfant, et entreprit une étude approfondie des cinq premières années s'intéressant entre autres à la communication non verbale entre les tout-petits, aux effets des expériences précoces, à l'acquisition de la sociabilité, et au rôle des parents, des amis, et des frères et soeurs dans l'apprentissage cognitif. Plus tard, orientant ses observations vers les enfants plus âgés et les jeunes adultes, il examina la relation existant entre la tension physique et la confusion mentale ainsi que le rôle de l'anxiété, qui parfois stimule les fonctions intellectuelles, mais généralement les appauvrit. Enfin, il évalua l'influence négative des préjugés et des idées reçues sur l'intellect des individus.

Psychologue conseiller, orienteur et spécialiste de la technologie de l'apprentissage, James Greene constata les mêmes attitudes négatives dans des milieux aussi divers que ceux des bureaux, de l'industrie et de l'éducation. Il y a dix ans, ce psychologue américain qui réside et travaille aujourd'hui à Londres, entreprit des recherches sur les techniques pouvant améliorer l'apprentissage, la prise de décision et la résolution de problèmes. Son travail actuel allie la psychologie, l'informatique et les mathématiques, et vise à créer "des systèmes d'enseignement adaptés". Il s'agit de programmes sophistiqués permettant d'obtenir par ordinateur un diagnostic des besoins individuels, et un enseignement personnalisé. Les programmes s'adaptent eux-mêmes à chaque cas, détectant les besoins de l'élève et lui présentant la matière de façon à y répondre le plus efficacement possible.

Nous avons fait équipe pour développer des techniques, en nous basant sur nos propres recherches, et sur celles d'autres spécialistes provenant d'universités et de centres de recherche de toutes les parties du monde. Ces techniques sont conçues pour aider les gens à penser mieux et à réfléchir sur leurs aptitudes, en prenant conscience des efforts mentaux auxquels ils se trouvent confrontés. Car voilà la seule façon de reprendre confiance en soi, de réduire l'anxiété, et de transformer les attitudes négatives. Au début, nous travaillions avec des enfants d'âge scolaire; l'intérêt que les parents portaient à nos expériences nous a amenés à la conclusion que les adultes, eux aussi, pouvaient bénéficier de ces techniques.

En 1975, nous fondions le Mind Potential Study Group, organisme à but non lucratif, qui se trouve à Londres, dans le West End. Ce groupe s'est donné pour objectif de rassembler des spécialistes travaillant dans le domaine de l'activité intellectuelle. Aujourd'hui, il réunit des professeurs, des psychologues, des psychiatres, des informaticiens, et des mathématiciens, ainsi que des industriels et des hommes d'affaires. Au cours de cette première année, nous avons organisé le premier atelier expérimental d'apprentissage destiné à enseigner et à évaluer nos nouveaux procédés. Depuis, nous n'avons cessé de mettre à jour ces techniques de croissance, au fur et à mesure que de nouvelles connaissances nous confirmaient dans l'idée que chaque individu peut, à tout âge, apprendre à mieux penser.

Nous avions l'ambition de faire ce livre depuis très longtemps, car c'était la meilleure façon de permettre à un vaste public d'accéder à notre cours, autrement que par des séminaires. Vous pouvez suivre les différentes étapes chez vous, et travailler à votre rythme. En cinq étapes faciles à maîtriser, vous apprendrez à mieux penser, et à mieux raisonner. L'esprit humain dispose d'un potentiel infini qui n'attend qu'à être utilisé. Pourquoi ne pas en profiter tout de suite?

COMMENT PROFITER DE
TOUT VOTRE POTENTIEL INTELLECTUEL

Le cas de Robert est un exemple typique de manque de logique. Il se plaignait d'être incapable de résoudre un problème dans un laps de temps très court, tout en reconnaissant pouvoir résoudre des difficultés dans son travail s'il pouvait y réfléchir suffisamment longtemps. "Lorsque je dois à tout prix trouver une solution rapide, j'ai l'impression d'avoir la tête vide", nous dit-il au cours d'un atelier. "On dirait que je pense à tout *sauf* au problème. Cela me rend anxieux, confus et incompétent. Pourtant, quand j'ai le temps, j'arrive à trouver des solutions." Robert pensait qu'il n'était pas assez intelligent, et se disait que c'était la raison pour laquelle il n'obtenait pas l'avancement qu'il méritait.

Anne quant à elle souffrait d'un autre type de blocage; elle ne parvenait pas à prendre des décisions dans sa vie privée. "Je n'ai aucun mal à décider dans mon travail, mais quand il s'agit de moi, je n'y arrive pas, et je fais souvent des erreurs." Tout comme Robert, Anne attribuait cette incapacité à une lacune intellectuelle. "Mon esprit n'est sans doute pas fait pour prendre des décisions d'ordre personnel", nous dit-elle.

Les gens se plaignent également très souvent d'avoir une mauvaise mémoire. S'il vous est déjà arrivé de confesser que vous n'aviez aucune mémoire, vous éprouverez sans doute de la sympathie pour des gens qui, comme Laure, pensent que ce "défaut" les empêchent de réussir. Âgée de vingt-trois ans, cette étudiante en biochimie pensait qu'elle allait rater son examen de fin d'année à cause de sa mémoire, "une véritable passoire".

Dans ces trois exemples, les sujets étaient tous conscients de leur problème, et se montraient très désireux d'y remédier. Mais ils n'aidaient en rien leur cause en accusant leur mémoire, ou leur intelligence, comme le font la plupart des gens dans pareils cas. Nous avons trop souvent tendance à blâmer notre cerveau lorsque nous avons de la difficulté à décider, à comprendre ou à nous souvenir. Nos autocritiques, nos explications font écho au préjugé très répandu selon lequel ce serait la physiologie du cerveau, la façon dont il est fait, et non la manière dont nous l'utilisons qui serait en cause. "Mon intelligence ne peut pas faire face à ce genre de situation", dit Robert. Anne pense qu'elle n'est pas "faite" pour prendre des décisions d'ordre personnel. Laure déclare qu'elle a "une mémoire épouvantable".

23

71295

Pour ces trois personnes, et pour beaucoup d'autres, l'intelligence est innée, c'est une question d'héritage génétique.

Une telle conception est erronée et dangereuse. En insistant sur des questions d'ordre génétique, on s'éloigne des causes réelles des réussites et des échecs intellectuels, et on ne tient aucun compte du processus de la pensée. Un tel déterminisme bloque la croissance de l'esprit et crée des barrières qui empêchent tout progrès. Nous verrons plus loin ce qui amena de nombreux psychologues à considérer l'intelligence de cette façon. Pour l'instant, nous vous demandons d'accepter ce que bientôt vous vous prouverez à vous-même.

Votre cerveau a le potentiel nécessaire pour atteindre pratiquement tous les buts que vous lui fixerez.

L'échec vient d'une mauvaise compréhension du fonctionnement de la pensée. En apprenant comment rendre votre cerveau plus efficace, vous maîtriserez facilement et rapidement tous les aspects du rendement intellectuel.

Comment la ''stupidité'' des ordinateurs peut nous aider à développer notre intelligence

Le 22 juillet 1962, un simple trait d'union coûta aux contribuables américains la somme de 18,5 millions de dollars. Une fusée Mariner I décollant pour une mission vers Vénus vira si brusquement de sa trajectoire que les contrôleurs au sol durent la détruire. On découvrit plus tard que cette erreur coûteuse était due à l'omission d'un simple trait d'union dans le programme de contrôle des ordinateurs. Sans ce symbole minuscule mais crucial, les instructions perdaient leur sens, et la fusée fut hors de contrôle.

L'informatique a progressé de façon spectaculaire depuis le début des années soixante et, cependant, il est toujours aussi important de concevoir et de créer des programmations avec un soin méticuleux. Par programmation, on entend l'ensemble des ordres qui disent à la machine comment fonctionner. Aussi ''géniaux'' qu'ils puissent paraître au non-initié, les ordinateurs dépendent entièrement de ceux qui les ont programmés. Ils ne peuvent résoudre des problèmes complexes ou prendre les bonnes décisions que si les informations requises ont été au préalable fournies dans un ordre précis et systématique. Concevoir une programmation intelligente présuppose une compréhension détaillée des tâches à accomplir ainsi que du fonctionnement du cerveau humain. Des études intensives sur les techniques qui permettent d'améliorer le ''raisonnement '' des ordinateurs se sont révélées tout aussi efficaces en ce qui concerne un meilleur emploi du cerveau humain.

Supposons que vous désiriez créer une programmation qui permette la résolution d'un certain type de problème. La première démarche essentielle consiste à analyser chaque aspect du travail à accomplir, à identifier les différentes étapes qui doivent être franchies, et à vous assurer que la logique du processus est sans défaut. Il vous faudra ensuite organiser ces données, en partant de l'énoncé du problème jusqu'à la solution finale, dans une série d'instructions parfaitement ordonnée. En fait, vous isolerez et décomposerez chaque étape du processus de réponse avec précision, avant de traduire la programmation complète dans un langage spécial que l'ordinateur "comprendra". Il faudra utiliser la même procédure méticuleuse lorsqu'il s'agira de faire prendre une décision par l'ordinateur. Il faudra d'abord identifier les options et faire une analyse détaillée de la tâche, pour permettre à l'ordinateur d'en venir à une évaluation précise de la situation, et à une prise de décision optimale.

Une fois l'ordinateur programmé, il pourra bien entendu résoudre des problèmes similaires avec rapidité et exactitude. Les électrons qui parcourent ses circuits à la vitesse de la lumière lui permettent de traiter une grande quantité de données en très peu de temps, sans jamais se lasser, s'ennuyer, ou se tromper.

Que se passe-t-il lorsqu'on fournit au cerveau humain une programmation de pensée aussi logique et aussi systématique que celle d'un ordinateur? Il se met à travailler avec la même efficacité, et souvent avec la même rapidité que ce dernier, sans se fatiguer. Vous commencez alors à utiliser votre potentiel à bon escient. Le doute et la confusion disparaissent. Les erreurs diminuent considérablement ou disparaissent. Dans la majorité des cas, les décisions se prennent presque instantanément. La tâche à accomplir n'a pas changé, ni la configuration de votre cerveau. Ce qui a changé par contre, c'est la façon dont vous vous servez de votre cerveau. Vous assistez à une sorte de libération de l'esprit qui, dégagé des ordres confus qu'il avait l'habitude de recevoir, peut enfin fonctionner entièrement.

La calculatrice de poche illustre parfaitement la différence qui existe entre l'organe, le cerveau, et ses programmations. Si vous obtenez de mauvaises réponses avec votre calculatrice électronique, il y a deux explications possibles. Il pourrait s'agir d'un défaut de fabrication, de conception, ou d'un accident. Si, par contre, toute autre personne que vous obtient de bonnes réponses, on peut en conclure que c'est votre technique qui laisse à désirer, non l'appareil. Il faut inscrire les données et commander les opérations dans le bon ordre. Toute erreur entraîne inévitablement de mauvaises réponses. En langage informatique, les circuits de la calculatrice s'appellent le *matériel*, et les instructions qui lui "disent" quoi faire constituent le *logiciel*. Il est évident qu'on atteint une efficacité maximum lorsque ces deux composantes fonctionnent parfaitement.

Les recherches sur le cerveau menées ces dernières années ont révélé que la pensée humaine est organisée selon des règles très semblables. Le *matériel* se compose de milliards de cellules nerveuses et d'une multitude infinie d'interconnections qui constituent la matière physique de l'esprit. Le *logiciel* comprend l'ensemble des instructions acquises au préalable, qui déterminent très exactement la façon de traiter les données, ainsi que le résultat final du processus mental.

Ces séries d'informations, cette liste précise des étapes à suivre pour résoudre des problèmes, prendre des décisions, ou faire un apprentissage s'appellent des *programmes*, et plusieurs des plus grands psychologues et neurologues du monde entier pensent aujourd'hui que l'activité intellectuelle est basée sur l'interaction entre les innombrables programmes de l'esprit humain.

"La vie des êtres humains (...) est régie par des séries de programmes", déclare l'éminent neurologue J.Z. Young de l'Université de Londres. "Certains de ces programmes sont pratiques, ou physiologiques, ils assurent la respiration, l'alimentation, solide et liquide, et le sommeil. D'autres sont sociaux, ils régissent notre façon de parler, de communiquer, d'accepter, d'aimer ou de haïr... Les programmes les plus importants sont peut-être ceux utilisés pour les activités dites mentales, lorsque nous pensons, imaginons, rêvons, croyons ou adorons[13]."

La programmation de l'esprit

Afin de bien clarifier les principes de base, reprenons l'exemple de la calculatrice et voyons comment cet appareil peut nous aider à résoudre un problème mathématique simple.

Supposons que vous ayez à convertir en Fahrenheit plusieurs températures données en degrés centigrades. Vous pouvez simplement multiplier les degrés Celsius par 9, diviser par 5 et ajouter 32. Si vous n'avez à faire l'opération qu'à quelques reprises, vous pouvez sans problème répéter chaque fois les opérations sur votre calculatrice. Mais supposons que vous ayez à faire cette conversion pour un tableau des températures annuelles. Il sera alors beaucoup plus commode d'utiliser une calculatrice "programmable" munie d'une mémoire qui enregistre les instructions et qui les exécute automatiquement sur demande. Vous actionnez d'abord les touches correspondant aux étapes nécessaires, puis, pour faire vos conversions vous introduisez chaque température en centigrades et ordonnez à la calculatrice de suivre son programme.

On peut représenter graphiquement cette série d'étapes. C'est ce qu'on appelle en informatique un organigramme. Chaque instruction est explicite et, à l'instar d'une carte routière, vous permet de découvrir le meilleur chemin entre les différents points. Voici à quoi ressemblerait un organigramme illustrant la conversion des degrés centigrades en Fahrenheit:

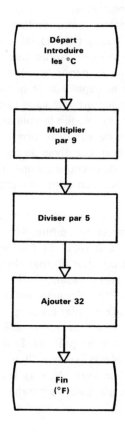

Un organigramme se lit de haut en bas. Pour indiquer les différents aspects du programme, on utilise différentes formes géométriques; par exemple, des rectangles, ou comme nous le verrons plus loin, des losanges pour marquer les étapes décisionnelles qui peuvent donner lieu à un choix de réponses.

Voyons à présent le genre de programme que peut produire votre esprit lorsqu'il résout des problèmes et prend des décisions dans la vie de tous les jours. Nous avons choisi deux situations familières à un grand nombre de conducteurs d'automobiles, soit faire démarrer sa voiture le matin lorsqu'il fait froid et humide, et conduire dans les encombrements.

Ces programmes ne prétendent pas être exhaustifs, car si on voulait tenir compte de tous les facteurs possibles ils couvriraient plusieurs pages. Nous nous contenterons de présenter ici une illustration générale de la séquence d'instructions que le cerveau est sensé suivre en de telles circonstances.

Vous tentez de mettre votre voiture en marche, mais sans succès. Vous cessez de tourner la clé de contact, et commencez à réfléchir à ce qui a pu arriver. Après quelques vérifications, vous faites un ajustement sous le capot, et réussissez à démarrer. Vous pouvez maintenant vous engager sur la grand-route. Vous êtes derrière un camion qui roule lentement; vous ralentissez, évaluez si vous pouvez le doubler ou non, et lorsque la voie est libre, vous effectuez la manoeuvre. Si l'ensemble de vos décisions est correct, vous arriverez sans encombre à destination. L'analyse de ces considérations "de routine" nous permettra de nous rendre compte de la façon dont les programmes sont utilisés pour résoudre des problèmes et prendre des décisions.

Si vous aviez exprimé à haute voix vos pensées lorsque vous essayiez de faire démarrer votre voiture, voilà l'ordre que vous auriez suivi: "La batterie est-elle à plat? Si oui, je pourrais me servir de câbles. Le démarreur fait un bruit normal, donc ça ne peut pas être la batterie. Est-ce que j'ai assez d'essence? Si j'en manque, je vais devoir marcher jusqu'au garage. Non, l'aiguille indique que le réservoir est à moitié plein. Je ferais mieux de jeter un coup d'oeil sous le capot. C'est peut-être l'arrivée d'essence, ou un problème électrique. Je vais vérifier le système électrique en premier. Si les bougies font des étincelles, j'examinerai l'arrivée d'essence. Il n'y a pas d'étincelles. Les branchements ont l'air humides. Je vais les essuyer et essayer de démarrer. Je ferais mieux d'appeler le garage. Bon, enfin, ça démarre." Le problème est résolu.

Sur la route, vous vous trouvez derrière un camion et vous vous dites: "Je vais me mettre un peu à gauche pour mieux voir. C'est risqué. Je vais freiner, et attendre de pouvoir doubler. Voilà, la voie est libre."

Peut-être n'êtes-vous pas conscient de ce raisonnement. En effet, dès que l'on maîtrise une activité complexe, comme la conduite automobile, les programmes suivis se déroulent automatiquement, et l'on pense souvent à autre chose. Lorsque la situation change, et qu'il faut modifier ou remplacer un programme, on doit alors penser plus activement à la marche à suivre. Si vous passez d'une voiture automatique à une voiture manuelle, vous devrez ajouter des instructions à votre *programme de conduite automobile*. Au bout d'un certain temps, ces nouveaux éléments feront partie intégrante du processus de "routine" cité plus haut.

Voici sous forme d'organigramme l'enchaînement des instructions que vous avez suivies pour faire démarrer votre automobile.

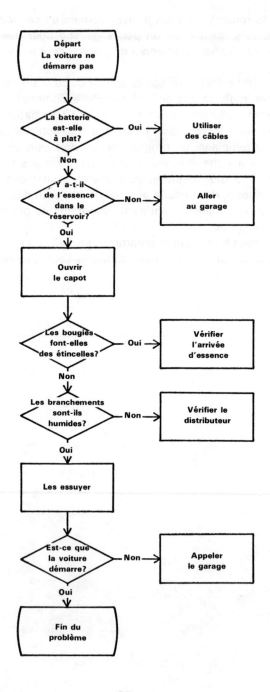

Le programme suivi pour savoir s'il est ou non indiqué de dépasser le camion comporte une *boucle;* ce qui signifie que le cerveau continue à suivre les mêmes instructions jusqu'à ce que la donnée "visibilité" intervienne, et boucle le cercle des instructions.

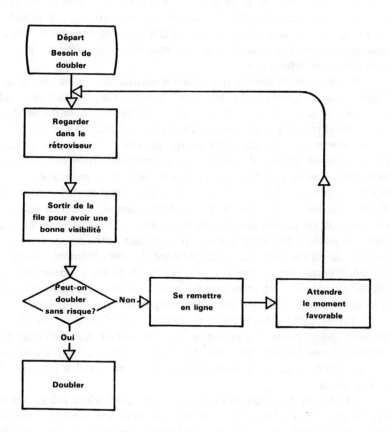

En indiquant ainsi les différentes étapes, il est plus facile de revoir le programme dans son ensemble et de tirer d'importantes conclusions concernant les qualités essentielles qu'il devrait posséder.

Tout d'abord, il est évident que pour réussir le programme doit être *complet.* Il ne faut omettre aucune étape. Si par exemple on oubliait l'étape "vérifier le niveau d'essence", on perdrait son temps à chercher une défaillance mécanique inexistante.

Le programme doit en même temps être aussi *concis* que possible, afin d'éviter toute perte de temps. Certaines personnes ont souvent tendance à utiliser des programmes qui sont corrects, mais qui prennent beaucoup plus de temps que nécessaire. Ce qui veut dire qu'elles ont de la difficulté à penser efficacement quand elles subissent une contrainte, qu'elles peuvent accomplir un nombre moindre d'activités intellectuelles dans la journée, et enfin qu'elles s'exposent à un plus grand nombre d'erreurs. En surchargeant le cerveau d'instructions qui ne sont pas essentielles, on risque d'oublier celles qui le sont, ou de mal les interpréter.

De plus, étant donné que chaque instruction donne lieu à une information supplémentaire (comme l'indique l'organigramme, l'addition d'une seule donnée à une étape décisionnelle entraîne deux possibilités) plus il y a d'étapes, plus il y aura d'information. Ceci provoque une surcharge du système de storage, dit *mémoire à court terme*, sorte de ''casier'' du cerveau qui emmagasine provisoirement l'information traitée par l'esprit. Contrairement à la *mémoire à long terme*, la *mémoire à court terme* atteint rapidement sa pleine capacité. Si l'on dépasse celle-ci, on perd les informations du début. Il est donc essentiel de ne jamais surcharger la *mémoire à court terme*. En pratique, on soulage cette mémoire en prenant des notes au cours du processus de raisonnement. Ceci prévient le débordement. Dans la première étape de ce cours, nous vous montrerons comment appliquer ce procédé; et vous serez à même de constater quelle liberté cela vous donne pour résoudre des problèmes très complexes.

Autre qualité essentielle: le programme doit être aussi *souple* que possible pour pouvoir s'appliquer à des tâches qui diffèrent par certains points de l'activité d'origine. Ceci permet d'accomplir une plus grande variété d'activités intellectuelles avec un nombre moindre de programmes.

La plupart des programmes que nous utilisons ont été acquis au hasard des circonstances. On ne nous apprend pas *comment* penser, mais plutôt *quoi* penser. On ne nous explique jamais *comment* prendre les meilleurs décisions, on nous dit de prendre telle ou telle décision. On demande à l'enfant d'apprendre une vaste gamme d'informations, on ne lui apprend jamais à apprendre. À cause de cela, nous avons tendance à raisonner de manière non systématique, et souvent sans succès.

Pour être vraiment efficace, tout programme doit tenir compte de deux facteurs clés. Le premier, c'est votre propre style de pensée. Comme nous l'expliquerons plus loin, chaque individu a une façon de penser qu'il est important d'identifier avant de créer un programme. Vous apprendrez bientôt comment analyser votre style de pensée.

Le second facteur est donné par la tâche même à accomplir. Avant de pouvoir organiser un raisonnement, il faut connaître la nature des données disponibles, et les relier à cette structure interne propre à toutes les activités intellectuelles. Des techniques spéciales permettent d'analyser cette structure, rarement explicite, et souvent bien cachée. La façon de mener à bien cette analyse sera expliquée dans le cours.

Comme nous le verrons, mieux penser veut dire acquérir des programmes qui s'accordent au fonctionnement naturel du cerveau. Cela veut dire aussi utiliser des programmes qui guideront l'esprit du début à la fin du raisonnement, en empruntant le chemin à la fois le plus court et le plus complet. C'est la seule façon d'éviter les erreurs et la perte de temps.

L'entraînement que nous vous proposons dans cet ouvrage a pour but de vous aider à acquérir de tels programmes et de vous apprendre à les utiliser au mieux. "L'esprit est comme un château", dit le Dr William Michaels, psychologue anglais, "mais nous nous contentons la plupart du temps de n'en occuper que l'entrée[14]."

Ce cours en cinq étapes vous permettra de quitter l'entrée et de pénétrer dans le château de votre esprit; après tout n'est-ce pas vous qui en détenez les droits de propriété?

Penser mieux: un programme en cinq étapes

Première étape

Penser avec clarté

Nous allons commencer notre cours par une démonstration simple, mais convaincante, de l'efficacité d'un programme qui vous permettra d'obtenir de votre cerveau un rendement optimum. Avant de tourner la page, essayez de répondre aux questions qui suivent. Chronométrez votre temps de réponse:

Monique veut passer ses vacances en Europe mais son mari n'arrive pas à l'aider à fixer son choix.

Plusieurs pays l'intéressent, lui explique-t-elle:

J'aime l'Allemagne moins que l'Espagne.

Mais je préférerais aller en France qu'en Italie.

Par contre, je préférerais aller en Allemagne plutôt qu'au Portugal.

Mais je pense que l'Espagne est moins intéressante que l'Italie.

Quel pays est-il le plus probable qu'elle visitera et quel autre a-t-elle le moins envie de visiter?

Lorsque vous aurez trouvé la réponse (qui figure à la fin de ce chapitre), notez le temps que vous y aurez mis. Lorsque vous aurez appris à mieux penser, à penser avec clarté, vous arriverez à résoudre des problèmes de ce genre en ne mettant pas plus de six secondes par question.

ÉLIMINER LA CONFUSION

Vous trouverez peut-être que la question que nous allons étudier au cours de cette première étape est très futile, qu'elle ressemble aux devinettes que l'on trouve dans les journaux ou dans les livres de jeux, et que le problème n'a rien à voir avec vos raisonnements quotidiens. C'est vrai, dans un sens, car le problème que nous allons vous poser compte parmi les "casse-tête" classiques. Cependant, son apparente facilité ne doit pas en dissimuler l'importance. Il s'agit, pour trouver la bonne réponse, de faire des choix, de les comparer les uns aux autres, et de retenir un assez grand nombre de données. Il s'agit là d'un processus essentiel à toute prise de décision importante, et que nous examinerons plus en détail à la cinquième étape. Nous commençons notre cours par cet exemple pour que vous puissiez découvrir par vous-même qu'un programme efficace peut éliminer toute confusion, et vous amener sans effort à la bonne solution. Si quelqu'un vous dit qu'il n'aime pas autant le golf que la natation, préfère le tennis à la natation, et estime que le base-ball est un sport supérieur au tennis, vous trouveriez assez facilement que cette personne aime beaucoup le base-ball, et que pour elle le golf vient au dernier rang. Les psychologues appellent ce type de déduction *la transitivité*. Ce genre de problèmes peut facilement devenir beaucoup plus complexe que ne le suggère l'exemple ci-dessus. Si complexe, en fait, que la plupart des gens se trompent souvent trois fois de suite. Même s'il n'y a que trois solutions possibles, et que leur interrelation soit clairement indiquée, on se laisse vite embrouiller. Si l'on demande à quelqu'un ce qui est préférable, sachant que A est mieux que B, et B supérieur à C, il y a une chance sur trois pour que la personne réponde C, si on lui donne le choix entre A et C. Lorsqu'il y a plus de trois éléments à classer par ordre de préférence, ou lorsque la relation entre ceux-ci est donnée sous forme de boucle, le risque d'erreur est encore plus grand. Devant des décisions importantes à prendre, nous sommes confrontés à un grand choix de solutions, reliées les unes aux autres de manière souvent complexe.

Essayez de résoudre l'énigme suivante, et vous verrez ce que nous voulons dire.

Un client veut acheter une nouvelle voiture, et précise qu'elle devra être de telle couleur. Le vendeur le prévient que ce modèle ne se fait pas dans cette couleur, et demande au client de lui donner une liste des couleurs qu'il jugerait acceptables.

Le client lui répond:

Le rouge me déplaît moins que le blanc.
Le vert me déplaît plus que le bleu.
Je préfère le blanc au bleu.
Je préfère le noir au rouge.

Quelle est la couleur préférée du client, et quelle est celle qu'il aime le moins?

Réfléchissez quelques instants à ce problème, et essayez de trouver la solution. Tout en fixant l'ordre de préférence, pensez à la façon dont vous raisonnez.

Peut-être vous imaginez-vous les différentes couleurs, peut-être avez-vous mis un chiffre sur chacune d'elle pour pouvoir les classer. Vous avez pu aussi rendre les phrases plus explicites, en remplaçant par exemple "Le rouge me déplaît moins que le blanc" par "Je préfère le rouge au blanc".

La plupart des gens adoptent les deux méthodes, quoique certains se concentrent uniquement sur les images, ou sur les mots. Les premiers ont une approche visuelle, les seconds une approche verbale. Toutes ces méthodes peuvent *mener* à la solution, à condition que le problème ne soit pas trop complexe. Un trop grand nombre de possibilités encombre la mémoire à court terme, et l'on oublie des étapes importantes du programme. Prendre des notes n'est pas toujours possible, pour des raisons de temps d'une part, et d'autre part, parce que l'on doit trouver la réponse par voie de raisonnement. La meilleure méthode est celle qui fournit au cerveau un programme qui ne donne pas à la mémoire à court terme plus d'informations intermédiaires qu'elle ne peut en contenir, tout en vous guidant vers le choix correct par la voie la plus rapide et la plus directe.

Pour traiter les programmes de transitivité, nous avons mis au point le programme suivant. Nous l'appelons le processus *si... alors*, car ce sont là les deux seuls points à traiter pour chaque ligne du problème. Si vous avez déjà travaillé en informatique, vous reconnaîtrez cette donnée conditionnelle, appliquée ici au cerveau humain.

Étape no 1

Examinez la première ligne, et trouvez une réponse en vous servant de l'information donnée. Vous obtiendrez ce que nous appelons une solution provisoire, valable tant qu'aucune autre donnée ne vient la remplacer. La première ligne se lit: "Le rouge me déplaît moins que le blanc." En d'autres termes, *si* rien ne vient contredire notre conclusion, *alors* la solution sera *rouge*. ROUGE devient donc notre solution provisoire, et peut être retenue temporairement dans la mémoire à court terme. Cochez la première ligne, et passez à l'étape suivante.

Étape no 2

Examinez la deuxième phrase. Si votre solution provisoire (ROUGE) *n'y apparaît pas*, ignorez cette donnée, et passez à la suivante.

Étape no 3

Procédez ainsi pour chaque phrase de l'énoncé, en les laissant de côté tant que votre solution provisoire *n'y apparaît pas*. Si vous vous rendez à la dernière ligne sans que votre solution provisoire n'ait été répétée, cette dernière devient votre réponse définitive.

Étape no 4

Si par contre votre solution provisoire apparaît dans une des phrases, voyez si la donnée vous fait changer de réponse. La dernière phrase du problème se lit: "Je préfère le noir au rouge." Il faut donc remplacer ROUGE par NOIR et cocher cette phrase.

Étape no 5

Revenez à la première ligne non cochée, et réévaluez votre solution provisoire comme précédemment. N'en tenez pas compte si la solution n'y apparaît pas. Dans notre exemple, nous voyons que les deux phrases qui n'avaient pas été cochées à la première lecture ne font pas mention du NOIR, qui devient par conséquent la bonne réponse.

Bien que cela puisse paraître un peu compliqué à première vue, ce programme est en fait le plus rapide et le plus facile. Dans ce genre de problème de transitivité, c'est la *seule* approche qui vous permette de trouver automatiquement la bonne réponse.

Nous en avons eu la preuve au cours de nos recherches. Avec leur propre tactique les sujets mirent en moyenne 90 secondes à résoudre ce problème, et réussirent à trouver la réponse dans 60 pour cent des cas seulement. Par contre, en se servant de notre programme, il suffit de 12 secondes pour que tous trouvent la bonne réponse. Cette méthode est efficace, quel que soit votre mode de raisonnement, visuel ou verbal. Car il s'agit ici d'un niveau de raisonnement plus fondamental. À la quatrième étape de notre programme, nous verrons comment le type de raisonnement propre à chacun de nous joue son rôle dans des problèmes d'ordre différent.

Vérifiez si vous avez bien saisi le principe en trouvant quelle couleur de voiture est la moins appréciée par le client. (Les réponses sont données plus bas.)

Voici à présent un problème plus difficile. Il s'agit, cette fois encore, d'identifier le premier et le dernier choix. Prenez la peine de vous chronométrer. Vous pourrez ainsi vous évaluer, ou évaluer une personne qui ne suit pas notre méthode. Nous avons constaté que les sujets qui n'appliquent pas notre programme mettent environ 60 secondes, pour n'obtenir la bonne réponse qu'une fois sur deux. Grâce au programme *si... alors*, ce temps est réduit à 10 secondes, et le succès total. Ceci démontre bien comment en fait fonctionne le cerveau, et ce qu'il peut accomplir quand il n'est pas encombré par un processus embrouillé.

Que fera Georges ce soir?

Georges n'arrive pas à se décider. Il y a un match de football professionnel à la télévision, des amis l'ont invité à une soirée, il a des billets gratuits pour voir un ballet, et à l'affiche du cinéma voisin, il y a un film qu'il veut voir depuis longtemps. Pour corser son problème, Georges, qui est plongé dans un roman policier, en est au chapitre où le meurtrier va enfin être découvert. Que fera Georges ce soir, étant donné...

    qu'il préfère le cinéma aux soirées;
    qu'il préfère la lecture au sport;
    qu'il préfère les soirées à la danse;
    qu'il préfère la danse à la lecture.

Lorsque vous aurez trouvé ce qu'il choisira de faire, cherchez ce qui lui plaît le moins.

Réponses:

Monique ira probablement en France; par contre, il y a peu de chances qu'elle aille au Portugal. Le client préfère la couleur noire, et le vert est la couleur qu'il aime le moins. Georges ira au cinéma, et son dernier choix serait de regarder le match de football à la télévision.

Deuxième étape

Comment mieux réussir les tests d'intelligence

L'IMPORTANCE DES TESTS DE QI

Nous allons à présent vous montrer comment améliorer de façon notable vos résultats lors de tests de quotient intellectuel, en fournissant à votre cerveau les programmes adéquats. Les améliorations varient d'un individu à l'autre; mais on peut dire qu'une personne qui obtient normalement 110 peut progresser de 50 pour cent, et obtenir un résultat de 160 ou plus. Comme nous le verrons plus loin, c'est un très bon résultat, qui n'est atteint en fait que par une personne sur cinq cents. Lorsque vous aurez maîtrisé les programmes de ce cours, vous pourrez obtenir ces résultats. Si votre QI est déjà très élevé, vous serez capable de résoudre mieux et plus rapidement certaines questions, le facteur temps étant primordial dans ce genre de test. Toute personne possède un potentiel qui n'attend qu'à se réaliser pleinement.

Nous pensons que les tests d'intelligence sont importants pour trois raisons majeures. La première, et la plus évidente, est qu'un bon résultat peut être un atout précieux dans votre vie. Malgré les critiques concernant de telles épreuves, les tests d'intelligence sont encore très largement utilisés par les employeurs, par les collèges, les services gouvernementaux, et les forces armées, comme mode d'évaluation des individus. Donc, avoir un excellent résultat peut vous permettre d'obtenir un travail recherché, peut favoriser votre avancement, vous faire entrer dans un collège réputé, ou vous qualifier comme officier. Même si les tests de QI ne sont pas les *seuls* moyens d'évaluation, ils peuvent considérablement influer sur votre avenir.

En admettant que vous n'ayez jamais à passer ce genre de test, le rôle des programmes que nous allons maintenant vous proposer n'en sera pas moins prépondérant quant à la résolution de toutes sortes de problèmes. Le premier intérêt que vous y trouverez sera sans doute de pouvoir vous prouver l'efficacité de votre cerveau lorsque vous le faites fonctionner correctement. Nous allons dans un moment vous demander de passer un test d'intelligence, et à la fin de cette partie du cours, nous vous proposerons de compléter un second test d'un même niveau de difficulté. La différence entre vos deux résultats vous donnera une mesure objective de votre progrès après quelques heures d'effort seulement. Nous avons remarqué que la personne qui a la preuve évidente de sa véritable capacité intellectuelle est plus motivée à améliorer son raisonnement.

Le troisième avantage de ces tests est qu'ils constituent un entraînement pratique et utile pour analyser et organiser efficacement les données. Comme vous le verrez au cours de la quatrième étape, cet entraînement de base vous sera précieux pour résoudre des problèmes pratiques; vous découvrirez également votre propre façon de résoudre des problèmes. Comme nous l'avons expliqué plus haut, chaque problème renferme une structure cachée qui doit être clairement identifiée pour pouvoir le résoudre. Plus un problème est simple, plus il est facile d'en analyser la structure, et de trouver le chemin le plus court vers la solution.

PREMIER TEST DE QI

Réservez-vous *trente minutes* pour faire ce premier test. Installez-vous dans un endroit où vous ne serez pas dérangé. Vous devrez vous arrêter quand la demi-heure sera écoulée, quelles que soient les questions qui restent. Si vous n'avez pas fini, inutile de vous inquiéter: ce test a été conçu de telle sorte qu'il est *pratiquement* impossible de le faire correctement en trente minutes. Prenez du papier et un crayon.

Comment faire le test

Ce test de QI comporte trois genres de problèmes, et nous voulons que vous vous familiarisiez avec chacun d'eux en répondant d'abord aux questions ci-dessous. Cet exercice préliminaire vous permettra de gagner du temps quand vous répondrez à des questions du même type pendant le test.

Questions sur les mots

Vous devrez choisir parmi plusieurs le mot qui convient.

Par exemple: NOIR est à BLANC ce que SE LEVER est à?
(a) nuit   (b) neige   (c) augmenter   (d) sombre   (e) tomber.

La réponse correcte est (e) tomber.

Questions sur les nombres

Vous devrez trouver le nombre manquant dans une série numérique donnée.
Par exemple: 2   4   6   ?   10
La réponse correcte est 8.

Questions d'ordre spatial

On vous donnera une série de formes parmi lesquelles vous devrez choisir celle qui convient:
Par exemple:

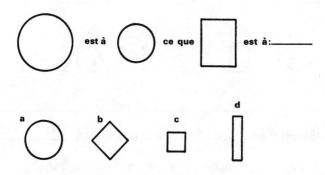

PREMIER TEST DE QI — COMMENCEZ MAINTENANT
ARRÊTEZ DANS EXACTEMENT TRENTE MINUTES

1.

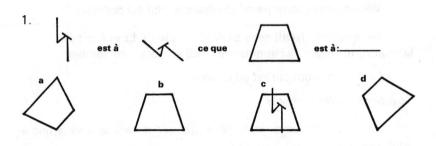

2. ACHETER est à VENDRE ce que DONNER est à : _____

    a. employer   b. économiser   c. recevoir   d. ralentir   e. acquérir

3. 5, 9, 13, _____, 21

4.

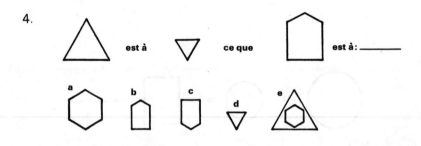

5. PRÉFÉRER est à AIMER ce que COFFRE est à : _____

    a. trésors   b. malle   c. garder   d. dépenser

    e. vouloir

6. 33, 26, 19, 12, _____

7.

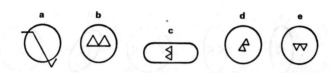

8. HEURE est à TEMPS ce que POUCE est à: _____
   a. pied   b. minute   c. presser   d. doigt   e. longueur

9. 4, 8, _____, 32, 64

10.

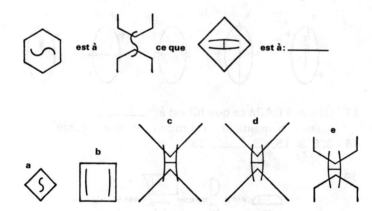

11. GRAINE est à PLANTE ce que ENFANT est à: _____
    a. garçon   b. jeu   c. humain   d. adulte   e. jouet

12. 1, _____, 9, 27, 81

13.

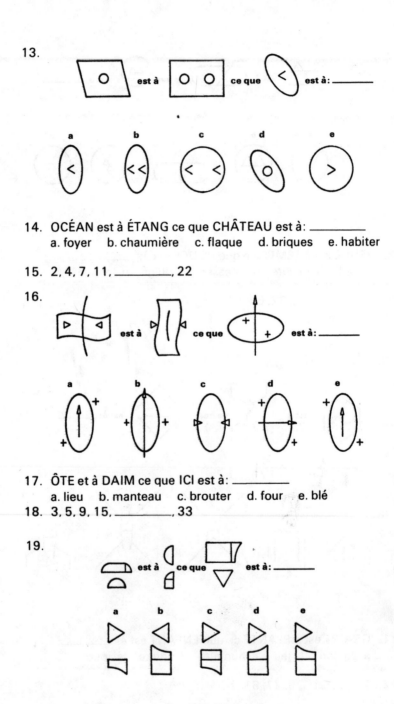

14. OCÉAN est à ÉTANG ce que CHÂTEAU est à: _____
a. foyer   b. chaumière   c. flaque   d. briques   e. habiter

15. 2, 4, 7, 11, _____, 22

16.

17. ÔTE et à DAIM ce que ICI est à: _____
a. lieu   b. manteau   c. brouter   d. four   e. blé

18. 3, 5, 9, 15, _____, 33

19.

48

20. ROUGE est à VERT ce que LIME est à: _____
   a. pomme   b. arbre   c. tige   d. manger   e. fruit

21. 0, 3, 9, _____, 30, 45

22.

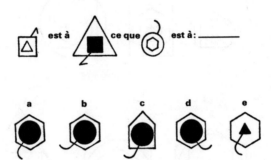

23. NEZ QUI COULE est à MOUCHOIR ce que FRISSON est à:
   _____
   a. rhume   b. tremblement   c. renifler   d. chauffage   e. émotion

24. 4, 7, 11, 17, _____, 39

25. Compléter la série en remplissant l'espace vide.

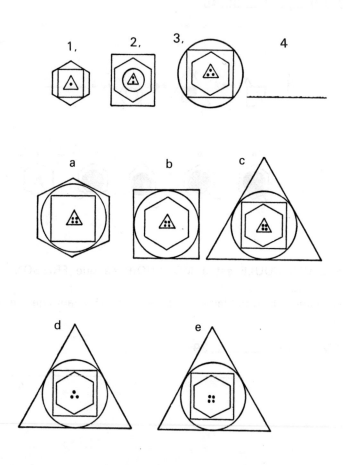

26. LÉGER est à EXCESSIF ce que INDULGENT est à: _____
    a. facile   b. futile   c. se rendre   d. trouver   e. sévère

27. 58, 35, _____, 11, 6, 3

28. Trouver la figure qui va dans la case vide.

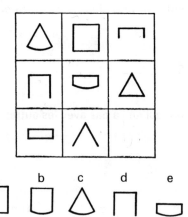

  a   b   c   d   e

29. Trouver le mot qui va avec les autres.
TALENT, SAVOIR-FAIRE, COMPÉTENCE, _____
a. capacité   b. réalisation   c. succès   d. produit   d. désir

30. 4, 7, 12, 21, _____, 71

31.

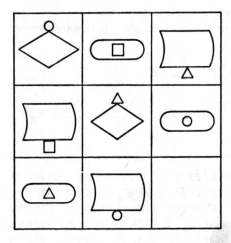

a   b   c   d

e

32. Trouver le mot qui ne va pas avec les autres.
    a. fréquemment   b. probablement   c. rarement   d. parfois
    e. souvent

33. 2, 4, 6, 10, 16, _____

34. Trouver *la* figure qui ne va pas avec les autres.

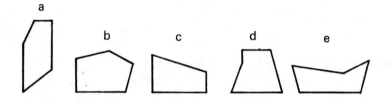

35. Quel mot ne va pas avec les autres?
    a. une fois de plus   b. double   c. renouvellement   d. nombreux
    e. réplique

36. 7, 8, 15, 23, _____, 61

Calculez votre résultat et reportez-vous au tableau pour trouver l'équivalent en QI. Les questions de ce test se divisent en trois types de problèmes: espace, vocabulaire, nombres. Vous serez sans doute intéressé à relever les questions qui vous ont semblé les plus difficiles.

Votre résultat	Équivalent en QI
12	88
13	93
14	96
15	98
16	100
17	105
18	109
19	114
20	118
21	122
22	126
23	130
24	133
25	137
26	140
27	144
28	147
29	151
30	155
31	159
32	163

Voici maintenant l'analyse de ces divers résultats:

Résultat QI

88 — 99 Bien que ce résultat soit sous la moyenne, il ne doit pas vous décourager. Comme nous l'avons expliqué dans l'introduction, l'anxiété et l'attitude qu'on adopte devant tout problème intellectuel peuvent entraver l'efficacité du raisonnement. Il est également possible que vous ne soyez pas familier avec ce genre de tests, et que vous soyez, de ce fait, plus nerveux. Les techniques que vous allez apprendre vous aideront non seulement à améliorer vos résultats, mais aussi à prendre confiance en vous, et à surmonter les difficultés.

100 — 109 Vous êtes dans la moyenne. Certains des commentaires ci-dessus s'appliquent probablement à votre cas. Vous ne devez pas vous sentir découragé. En suivant notre cours avec assiduité, vous obtiendrez certainement un bien meilleur résultat dans les tests ultérieurs.

110 — 119 Ce résultat est au-dessus de la moyenne. C'est celui de 25 pour cent des gens. Il est probable que l'anxiété et le manque de programmes mentaux adaptés à ce genre de problèmes ont fait baisser votre résultat. En vous exerçant, vous devriez gagner une ou deux "places" dans ce classement.

120 — 129 Votre résultat est très au-dessus de la moyenne. C'est celui de 10 pour cent des gens. Les programmes mentaux que vous allez bientôt mettre en pratique vous permettront d'écarter toute trace de confusion, et régénéreront votre confiance pour vous permettre de résoudre avec facilité les questions qui vous ont causé quelque difficulté.

130 — 150 Intelligence supérieure, qu'on ne retrouve que chez 2 pour cent de la population. Vous êtes de toute évidence très habile à résoudre des problèmes, et ce test vous a sans doute semblé facile. Grâce à nos techniques, vous raisonnerez encore mieux, et serez plus efficace dans vos prises de décisions.

150 + Une personne sur cinq cents atteint un tel résultat. L'amélioration dans le domaine du potentiel intellectuel étant toujours possible, vous pourrez profiter des programmes qui traitent des questions qui vous ont paru moins faciles que les autres.

Voyons à présent comment programmer votre cerveau pour qu'il puisse résoudre facilement, rapidement et efficacement le genre de problèmes contenus dans ce premier test d'intelligence. Les techniques que nous allons décrire concernent les problèmes d'ordre spatial, d'ordre numérique et de vocabulaire; elles s'appuient sur des recherches approfondies que nous-mêmes avons effectuées dans ce domaine, ainsi que sur les études faites par des psychologues américains. Nous vous expliquerons aussi comment aborder et traiter chaque test de QI, et nous vous donnerons quelques conseils utiles en ce qui concerne les tests en général.

Section un

COMMENT SONT CONÇUS LES TESTS DE QI

Les psychologues chargés de concevoir ce genre de tests essaient d'imaginer des problèmes qui explorent certains aspects fondamentaux de l'intelligence, tels que la déduction logique ou le raisonnement rigoureux, plutôt que la culture générale. *Il existe* des tests qui ont pour but d'évaluer les connaissances académiques, mais ils sont généralement de nature plus spécialisée. Les tests de QI servent à vérifier votre capacité d'agencer les données des problèmes soumis. C'est pourquoi ces tests font référence à des concepts relativement simples. Même si certains peuvent paraître assez complexes, vous devriez trouver facilement les solutions si votre raisonnement est juste.

Les concepteurs s'efforcent également de créer des questionnaires dépourvus de connotations culturelles ou sociales, afin d'éviter toute discrimination.

Douze des questions contenues dans le test que vous venez de faire sont considérées par la plupart des psychologues comme dénuées de connotations culturelles. Théoriquement, le lieu de naissance et l'éducation ne devraient pas entrer en ligne de compte quand il s'agit d'identifier une forme. C'est pourquoi les questions d'ordre spatial, ainsi que celles où il faut remplir la case vide avec la forme manquante sont très souvent utilisées par les psychologues. Nous allons maintenant vous montrer comment répondre efficacement à ce type de questions.

Pour faciliter cet apprentissage, nous avons adopté une formule que nous avons utilisée tout au long de notre programme. Cela vous aidera à réviser la matière et à vérifier vos progrès. Des études ont prouvé qu'une telle approche permet une organisation plus systématique des idées clés, et assure ainsi une mémorisation plus facile et plus précise.

COMMENT ABORDER LES
PROBLÈMES D'ORDRE SPATIAL

est à   ce que   est à:

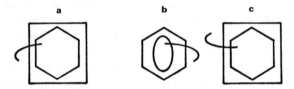

a   b   c

Figure 1

Voici un exemple type de problème d'ordre spatial, fréquemment rencontré dans les tests de QI.

Tous ces problèmes sont basés sur la relation existant entre les diverses parties d'un dessin. Pour les résoudre, il s'agit d'être capable de visualiser les changements qui surviennent dans la nature de ces relations. Ceux qui y réussissent sont généralement doués pour l'architecture, le design graphique, le dessin industriel, le génie et divers autres domaines où l'imagination visuelle joue un rôle très important. De plus, ce genre de test permet d'évaluer la capacité de se concentrer sur les éléments significatifs du problème et de raisonner avec logique.

La solution du problème ci-dessus est (c). Si vous avez trouvé la bonne réponse, arrêtez-vous un moment, et réfléchissez au raisonnement que vous avez utilisé.

La plupart des gens n'ont pas de stratégie particulière en tête; ils se contentent d'étudier les différentes solutions et font des comparaisons un peu au hasard. Cette méthode conduit quelquefois à la solution. Mais il est beaucoup plus sensé d'utiliser un programme rapide et efficace.

Programme adapté
aux problèmes d'ordre spatial

James Pellegrino et Robert Glaser, de l'Université de Pittsburgh, ont fait une étude approfondie de la façon dont des volontaires résolvaient ce type de problème[15]. Au cours d'une série d'expériences contrôlées en laboratoire, ils soumirent à leurs sujets des formes, changeant certains aspects du dessin, tout en conservant une constante.

Ils chronométrèrent le travail, puis analysèrent statistiquement les résultats, et découvrirent que la quasi totalité des erreurs et des pertes de temps étaient imputables à la difficulté d'identifier les parties clés du dessin, ou de discerner comment celles-ci avaient été modifiées selon les figures.

Les deux psychologues découvrirent également que, malgré l'infinie variété des dessins possibles, la majorité des problèmes d'ordre spatial ne contenaient jamais plus de trois parties clés. De plus, bien que les concepteurs de tests aient à leur disposition dix manières différentes de modifier ces parties clés, il est rare qu'ils en utilisent plus de *trois*.

Quelle que soit, à première vue, l'apparente complexité des problèmes, il suffit donc de savoir identifier les parties clés, ainsi que la façon dont elles ont été modifiées, pour arriver à la solution.

Comment identifier les parties clés

Les parties clés sont les parties de la figure qui changent de façon à déterminer la réponse. Avec un peu de pratique, on les identifie facilement.

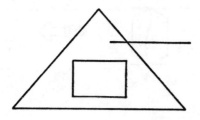

Figure 2

Il est facile de voir que cette figure comprend *trois* parties clés: un triangle, un rectangle et une ligne.

Pour rendre le test plus difficile, les concepteurs ajoutent délibérément des fioritures, dont vous apprendrez rapidement à ne pas tenir compte. Voici seize figures types. Regardez-les attentivement, et notez le *nombre* de parties clés contenues dans chacune d'elles; il est inutile d'en faire une liste.

Exercice no 1

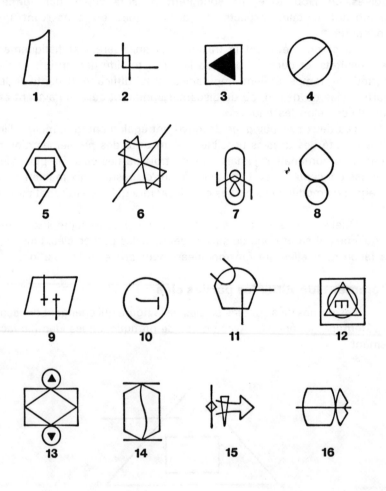

Essayez de réaliser cet exercice le plus rapidement possible, le temps étant un facteur important dans un test de QI. Votre objectif est de pouvoir identifier ces figures en un rapide coup d'oeil.

Comment identifier les modifications

Vous devez également réussir à identifier les changements survenus d'une figure à l'autre. Reportez-vous à la figure 1, vous voyez que les parties clés du premier dessin (l'ovale, le losange et le zigzag) se transforment de diverses façons pour donner le deuxième dessin. Examinez ces changements avant d'examiner les parties clés du troisième dessin. En appliquant ensuite à celles-ci les mêmes transformations, vous obtenez une figure identique à la figure (c) qui fait partie des réponses proposées.

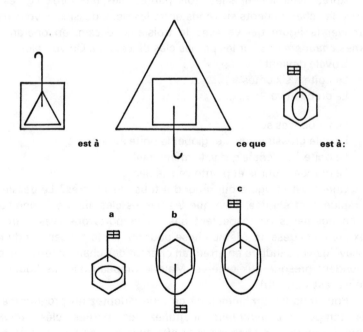

Figure 4

59

Examinez le dessin ci-dessus. L'exercice précédent devrait vous permettre d'identifier les trois éléments de la première figure, à savoir:

un carré

un triangle

une canne

Quels sont les changements opérés entre les deux premiers dessins? Servez-vous des phrases ci-dessous:

Le triangle devient . . . .

Le carré reste . . . .

La canne . . . .

Les réponses sont:

Le triangle devient plus grand; il englobe à présent le carré.

Le carré reste de la même taille.

La canne tourne, comme les aiguilles d'une montre, et s'arrête en bas.

Après avoir identifié les trois parties clés des deux figures, et bien vu les changements survenus entre les deux dessins, il vous reste à trouver la figure qui va avec le troisième dessin, en opérant les mêmes *changements* sur les parties clés de celui-ci. On voit alors que:

L'ovale devient . . . .

La boîte à six côtés . . . .

Le drapeau va . . . .

Les réponses sont:

L'ovale grossit jusqu'à englober la boîte à six côtés.

La boîte à six côtés garde la même taille.

Le drapeau tourne et pointe vers le bas.

Quelle est la figure qui répond à tous ces critères? Le dessin (a) est rapidement éliminé: bien que les parties clés aient été modifiées, ces changements ne respectent pas les rapports observés entre les deux premiers dessins. Même chose pour (c): ici, le concepteur du test a essayé de vous induire en erreur en opérant des changements qui correspondent presque aux critères. Mais le drapeau n'a pas bougé. La réponse est donc (b).

Pour tous les problèmes de ce type, adoptez un programme en trois temps: *premièrement*, identifiez les parties clés; *deuxièmement*, repérez les changements effectués sur les parties clés pour obtenir la deuxième figure; *troisièmement*, appliquez ces mêmes changements aux parties clés de la troisième figure. La solution est alors évidente.

60

Exercice no 2

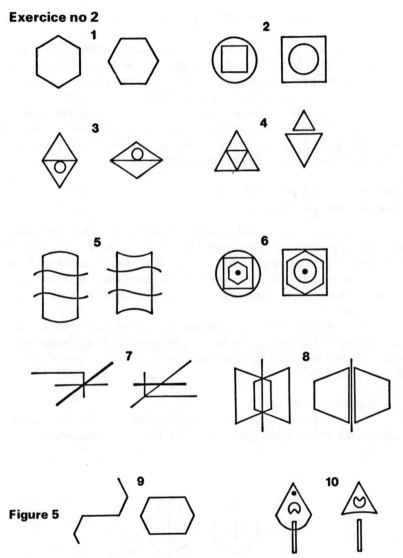

Figure 5

Robert Sternberg[16], de l'Université Yale, a analysé la cause des échecs dans les problèmes d'ordre spatial en observant que les gens qui réussissent passent plus de temps à identifier les changements qui surviennent entre les deux premiers dessins. C'est là une étape cruciale qui conduit à la solution. Exercez-vous donc à compter les changements opérés sur les parties clés des figures ci-dessous. Commencez par évaluer le nombre de parties clés qui changent dans un dessin, pour en produire un autre. Rappelons que dans la majorité des cas, le nombre des parties clés ne dépasse jamais *trois*, alors que le nombre des modifications peut varier entre une et trois. Autrement dit, vous aurez presque toujours affaire à un nombre limité de figures, et à des variations relativement peu nombreuses. Chronométrez votre travail au cours de ce deuxième exercice. Vous verrez combien de temps vous mettez à découvrir les changements survenus. En divisant votre total par 10, vous obtiendrez une moyenne par figure. Vous trouverez les réponses à la fin de cette section.

Exercez-vous à présent
à identifier les changements

Vous devez maintenant réussir à découvrir la *nature* des changements opérés sur les parties clés. Paul Jacobs et Mary Vandeventer[17] membres de l'Educational Testing Service de Princeton, au New Jersey, ont étudié à fond vingt-deux tests de QI, examinant plus de 1300 composantes, et les classant suivant les changements opérés sur les parties clés.

En analysant leurs résultats, ils ont trouvé que lesdits changements ne se font que de *dix* façons différentes, dans la grande majorité des problèmes. Une fois que vous les connaîtrez, il vous sera facile de les identifier.

1. Changement de taille

C'est le type de changement le plus courant. L'une des parties clés grossit ou diminue, comme l'illustre le dessin ci-dessous.

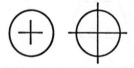

Figure 6

Ici, le cercle .... mais la croix ....
(demeure inchangé)
(grossit)

2. Rotation

Une des parties clés effectue une rotation dans le sens des aiguilles d'une montre, ou dans le sens inverse. La figure 4 illustrait ce type de mouvement. En voici un autre exemple.

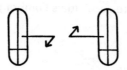

Figure 7

Ici, l'ovale et la croix .... tandis que la flèche brisée ....
(restent inchangés)
(fait un demi-tour comme les aiguilles d'une montre)

3. Culbute

Quoique plus subtil, ce changement est assez fréquemment utilisé dans ce genre de problèmes. L'une des parties clés est inversée, comme l'illustre la figure ci-dessous.

Figure 8

Ici, le rectangle et le cercle .... tandis que la flèche ....
(restent inchangés)
(est inversée)

4. Changement d'ombrage

L'ombrage peut être partiellement ou totalement changé, ou encore éliminé dans l'une ou l'autre figure, comme l'illustre l'exemple ci-après.

Figure 9

Ici, le carré demeure .... mais l'ombrage est ....
(inchangé)
(doublé)

5. Changement de forme

Il est très courant que les parties clés restent dans la même position, mais que leur forme se modifie.

Figure 10

Ici, le cercle et le point .... tandis que le .... de la première figure devient .... dans la seconde.
(restent inchangés)
(carré)
(un rectangle)

6. Interversion

Les parties clés restent inchangées, mais leur place est inversée. Cette variation est très courante, et vous devez y faire attention.

Figure 11

Ici, le .... et la .... de la première figure ....
(cercle)
(croix)
(ont été intervertis)

7. *Le tour de passe-passe*

Comme par magie, certaines parties clés apparaissent ou disparaissent.

Figure 12

Ici, la .... de la première figure .... de la seconde.
(croix)
(disparaît)

8. *Saute-mouton*

Toujours pour rendre les choses un peu plus compliquées, on déplace des parties clés, dans un mouvement de saute-mouton.

Figure 13

Ici, le carré .... tandis que le triangle ....
(reste inchangé)
(joue à saute-mouton)

9. *L'éclatement*

Une partie clé se sépare en deux, et les deux morceaux subissent un des changements cités précédemment. Ils peuvent, par exemple, jouer à saute-mouton ou s'inverser.

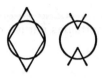

Figure 14

Ici, le cercle .... mais le losange commence par .... puis les morceaux font une ....
(reste inchangé)
(se diviser en deux)
(culbute)

10. Le dédoublement
Dans ce cas, au lieu de se diviser, puis de se modifier comme dans l'éclatement, la partie clé *demeure intacte*, mais, à l'instar d'une amibe, se reproduit elle-même. Ces duplicatas peuvent ensuite subir une des autres transformations décrites plus haut.

Figure 15

Ici le cercle et la croix .... mais l'hexagone commence par .... puis .... avec le cercle.
(restent inchangés)
(se dédoubler)
(joue à saute-mouton)

Exercice no 3

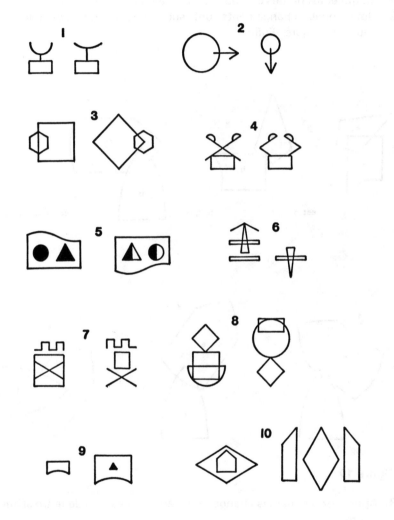

Figure 16

Examinez chaque dessin et inscrivez sur une feuille de papier le *type* de changement qui se produit. Travaillez le plus rapidement possible, puis reportez-vous aux réponses données plus bas.

Vous voilà maintenant prêt à résoudre n'importe quel problème de figures. Le raisonnement se fait en trois temps:

1. Identifier les parties clés de la première figure. Puis ....
2. Noter quels changements ont subis ces parties clés dans la deuxième figure. Enfin ....

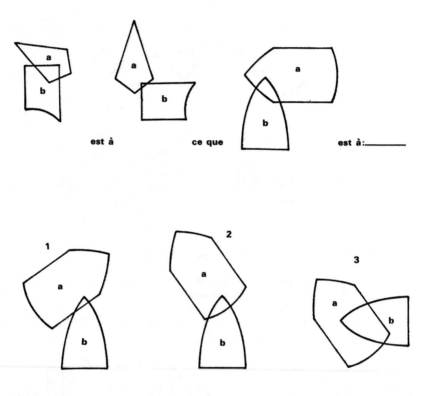

Figure 17

3. Appliquez les mêmes changements aux parties clés de la troisième figure.

Si vous suivez ce programme à la lettre, vous ne pouvez pas faire d'erreur. De plus, vous trouverez la solution très rapidement, car vous ne vous embarrasserez pas de déductions hasardeuses.

Avant de vous soumettre un dernier exercice, nous aimerions que vous examiniez ces quelques exemples.

Étape no 1

Identifiez les parties clés.

Cette figure comporte .... parties clés.

(deux — qui sont respectivement identifiées "a" et "b")

Étape no 2

Notez les changements survenus entre la première et la deuxième figure. En comparant les deux, il est clair que "a" ....

"b" a également ....

(a effectué une rotation)

(tourné)

Toutefois, il y a un autre changement. "b" a .... vers la gauche de "a".

(joué à saute-mouton)

On peut donc dire que:

"a" a subi un changement. Cette partie a effectué une rotation dans le sens des aiguilles d'une montre.

"b" a subi deux changements. Cette partie a tourné tout en effectuant un mouvement de saute-mouton.

Ce type de problème est de difficulté moyenne, comparativement à ceux que vous retrouverez dans la plupart des tests de QI.

Passons à présent à la troisième figure.

Étape no 3

Effectuez les mêmes changements sur les parties clés de la troisième figure; c'est-à-dire, *un changement* sur "a" et *deux changements* sur "b". "a" doit ....

(effectuer une rotation dans le sens des aiguilles d'une montre)

Tout en faisant mentalement ce changement, observez rapidement le choix proposé. Vous pouvez tout de suite éliminer (1), car il est évident que la partie "a" a fait une rotation trop grande, même si la direction est la bonne. Dans les exemples (2) et (3) "a" a subi la bonne modification. Il est donc impossible de choisir tout de suite. Examinons la partie "b".

"b" doit subir *deux* transformations. Elle doit .... et ....

(effectuer une rotation; joué à saute-mouton)

Lorsque nous examinons les deux figures qui restent, nous voyons clairement que (2) ne convient pas: "b" a fait un saute-mouton, elle est

69

bien placée par rapport à ''a'', mais elle pointe toujours dans la même direction. Mais si nous la faisons tourner mentalement d'un quart de tour, dans le sens inverse des aiguilles d'une montre, nous obtenons une figure identique à (3) qui, elle, est notre réponse.

La description de ces étapes est évidemment plus longue que le travail effectué par votre cerveau. Le secret de la réussite est d'éviter les pièges que vous tend le concepteur du test en vous proposant des dessins qui sont très proches de celui que vous devrez choisir.

Vous devez donc être vigilant, et passer en revue *tous* les types de transformations observés dans les deux premières figures.

Nous vous proposons à présent un autre problème. Nous vous guiderons dans le travail, sans toutefois vous donner une explication complète du raisonnement.

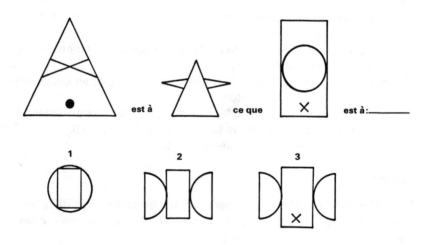

Étape no 1

Commencez par .... les ....
(identifier; parties clés)

Étape no 2

Ensuite, ... comment les parties clés .... d'une figure à l'autre.
(observez; se transforment)
Les changements sont les suivants:

70

Le triangle devient ....
(plus petit)
Les doubles triangles commencent par .... puis ....
(se diviser; éclatent)
Le point fait un .... et disparaît.
(tour de passe-passe)
Il s'agit par conséquent d'un problème comprenant *trois parties* et *quatre changements*, plus complexe que la plupart.

Étape no 3

Enfin, apportez les .... à la .... figure.
(changements similaires; troisième)
Commencez par .... le rectangle.
(rapetisser)
Étant donné que le rectangle a rapetissé dans toutes les figures proposées, faire ce changement ne nous renseigne pas plus sur la bonne réponse.
Nous devons donc considérer le cercle. Ce dernier devra subir .... changements.
(deux)
Il doit d'abord .... puis ....
(se diviser; éclater)
En appliquant les mêmes modifications à la troisième figure, nous voyons immédiatement que seules les figures (2) et (3) sont à retenir. Dans la première figure, le cercle ne change pas. Il nous reste donc à identifier la figure qui obéit au troisième critère, c'est-à-dire celle où le X fait un .... et ....
(tour de passe-passe; disparaît)
Ce changement essentiel ne s'est pas produit dans la figure (3), mais a été utilisé dans la figure (2); celle-ci est donc la bonne réponse.
Avec la pratique, vous résoudrez ces problèmes très rapidement.
Marica Linn de l'Université Stanford [18] a constaté lors de ses expériences que les sujets a qui on avait appris à éviter deux erreurs courantes, obtenaient des résultats 50 pour cent plus rapides et plus exacts. Notre programme vous permettra d'éviter ces écueils, mais il importe également que vous sachiez les reconnaître. Assurez-vous toujours:
1. De ne jamais choisir une figure qui est exactement la même que les deux premières,

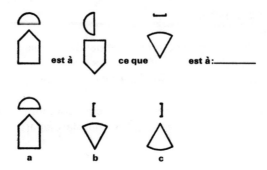

Figure 19

Ne vous laissez pas tenter par le fait que (a) est identique à la première figure du problème. En suivant notre programme en trois étapes, vous verrez que la bonne réponse est ....
(c)

2. De ne jamais choisir une figure qui serait une combinaison d'une partie de la troisième, et d'une partie de la première ou de la seconde figure. C'est forcément un mauvais choix, puisque que c'est le *troisième* dessin, transformé, qui vous donnera la solution.

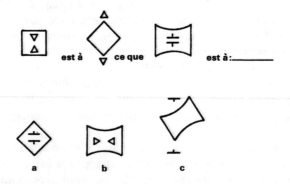

Figure 20

Ici la bonne réponse ne peut être ni (a) ni (b), puisque ces figures sont des combinaisons des deux premières figures, et d'une partie de la troisième.

Pour terminer cette étude des problèmes d'ordre spatial, nous vous suggérons un dernier exercice. Voici dix figures où le nombre des transformations, ainsi que le degré de complexité varient selon les cas. Prenez note du temps que vous mettez à résoudre ces problèmes; divisez par 10 pour obtenir la moyenne obtenue pour chaque problème.

Exercice no 4

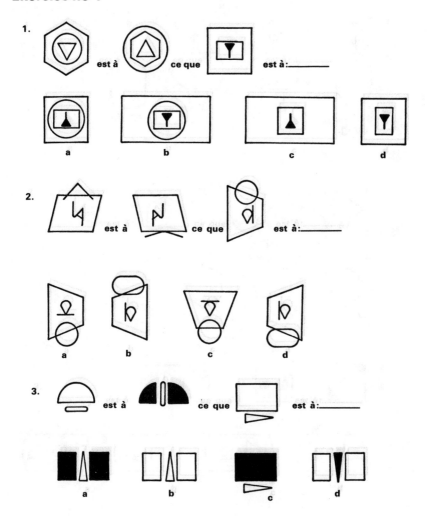

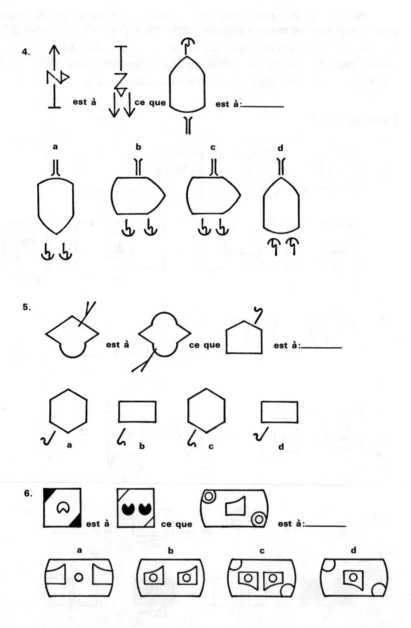

4. est à ce que est à:_____

a b c d

5. est à ce que est à:_____

a b c d

6. est à ce que est à:_____

a b c d

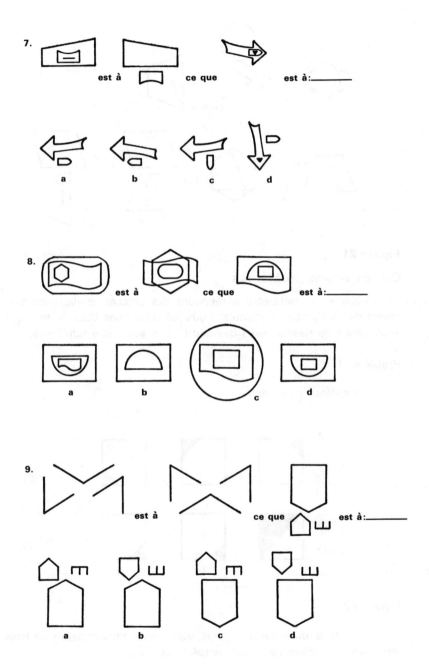

7.   est à   ce que   est à:_____

a   b   c   d

8.   est à   ce que   est à:_____

a   b   c   d

9.   est à   ce que   est à:_____

a   b   c   d

75

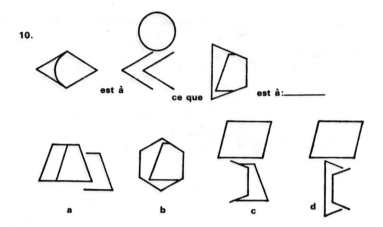

Figure 21

Quatre autres problèmes

Vous aurez peut-être à résoudre des problèmes illustrant certaines des variations suivantes. Vous les avez vues dans le test que vous venez de passer, elles devraient donc vous être familières.

Problème 1

Complétez la rangée

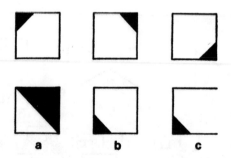

Figure 22

À partir d'une série de figures, vous devez choisir parmi les trois réponses proposées celle qui *complète* la série.

Problème 2

Trouvez la figure qui ne va pas avec les autres.

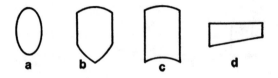

Figure 23

Vous devez identifier quelle figure *n'appartient pas* à la série proposée.

Problème 3

Trouvez la figure qui va avec les autres.

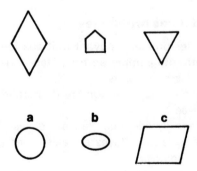

Figure 24

Vous devez choisir la figure qui *appartient* à la série proposée.

Problème 4

Parmi les trois figures, trouvez celle qui s'apparente au modèle proposé.

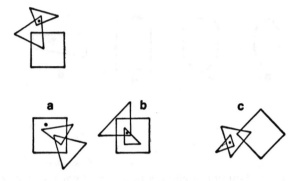

Figure 25

On vous propose un exemple et vous devez, parmi quatre ou cinq autres figures, trouver celle qui présente avec cet exemple une particularité commune.

Comment aborder ces problèmes

Presque tous les problèmes ayant trait aux formes peuvent être résolus grâce à notre programme en trois étapes, de façon aussi efficace que l'ont été les précédents.

Première étape — Notez le nombre de parties clés dans la première figure proposée.

Deuxième étape — Identifiez la nature des changements survenus d'une figure à l'autre. Voyez s'il existe des parties clés communes à toutes les figures.

Troisième étape — Appliquez le même raisonnement aux solutions proposées. La bonne réponse devrait apparaître immédiatement.

Dans l'exemple ci-après, la première étape consiste à identifier les trois parties clés:

a   b   c   d

Figure 26

Les parties clés sont ....
(un cercle; un carré; des points)
Le carré subit d'abord un *changement de taille*, puis, tout de suite après, effectue un *tour de passe-passe*. Dans la dernière figure, le cercle, lui aussi, fait le même *tour de passe-passe*. Comme vous l'aurez remarqué, le nombre de points augmente d'une unité, vers la droite.

Pour vous familiariser avec ce genre de problèmes, nous vous proposons les exercices suivants:

Exercice no 5

(1) Complétez la série en choisissant parmi les réponses proposées.

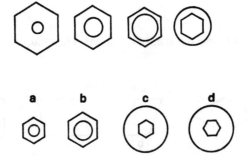

79

(2) Complétez la série en choisissant parmi les réponses proposées.

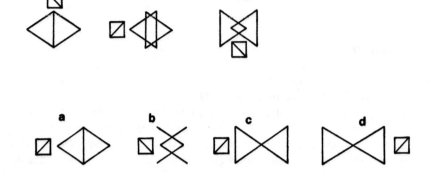

(3) Complétez la série en choisissant parmi les réponses proposées.

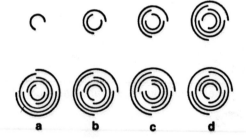

(4) Trouvez la forme qui n'appartient pas à la série.

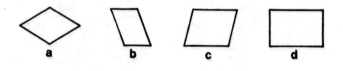

(5) Trouvez la forme qui n'appartient pas à la série.

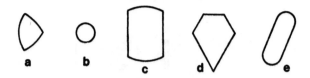

(6) Trouvez la forme qui n'appartient pas à la série.

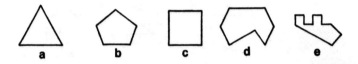

(7) Choisissez parmi les figures proposées celle qui appartient à la série des quatre premières.

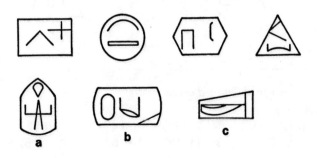

(8) Choisissez parmi les figures proposées celle qui appartient à la série des quatre premières.

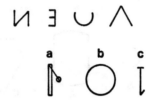

(9) Choisissez la figure qui présente une caractéristique commune avec la figure proposée.

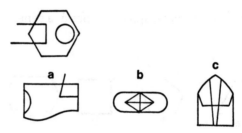

(10) Choisissez la figure qui présente une caractéristique commune avec la figure proposée.

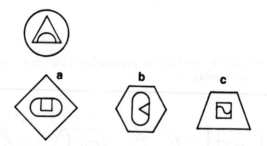

Figure 27

Réponses aux problèmes d'ordre spatial
Exercice no 1
(1) 1   (2) 2   (3) 2   (4) 2   (5) 4   (6) 4   (7) 4   (8) 2
(9) 3   (10) 2   (11) 3   (12) 4   (13) 6   (14) 4   (15) 4   (16) 3

Exercices no 2
(1) 1   (2) 2   (3) 3   (4) 2   (5) 2   (6) 3   (7) 3   (8) 2
(9) 2   (10) 3

Exercice no 3
(1) Changement de forme (2) Rotation et changement de taille (3) Rotation et saute-mouton (4) Éclatement et culbute (5) Culbute et changement d'ombrage (6) Rotation et tour de passe-passe (7) Culbute, changement de taille et saute-mouton (8) Saute-mouton et changement de taille (9) Changement de taille et tour de passe-passe (10) Rotation, changement de taille, saute-mouton et éclatement.

Exercices no 4
(1) c   (2) d   (3) a   (4) c   (5) a   (6) c   (7) a   (8) a   (9) b
(10) d

Quatre problèmes
(1) b   (2) d   (3) c   (4) Le point doit être placé entre deux triangles, mais à l'extérieur d'un carré. La seule solution est (c)

Exercices no 5
(1) c   (2) d   (3) b   (4) d   (5) d   (6) c (c'est la seule figure qui ait un nombre pair de côtés)   (7) a (c'est la seule figure qui ait une partie clé concave vers le bas)   (8) b (la seule lettre) (9) a   (10) c (la partie clé intérieure est courbée)

Section trois

COMMENT MIEUX COMPRENDRE
LES GRILLES

Ce sont deux psychologues anglais, L.S. Penrose et J.C. Raven[19] qui, en 1938, inventèrent ce type de problèmes, qui sont encore couramment utilisés aujourd'hui. Ils servent à évaluer la capacité du sujet à comprendre les relations existant entre les différentes parties d'une figure. Grâce à leur souplesse, ces problèmes peuvent s'appliquer aussi bien à des individus qu'à des groupes, et on peut à son gré en faire varier le degré de difficulté. Il ne s'agit d'ailleurs que d'une apparente difficulté puisque celle-ci disparaît lorsque l'on a compris le type de raisonnement à suivre.

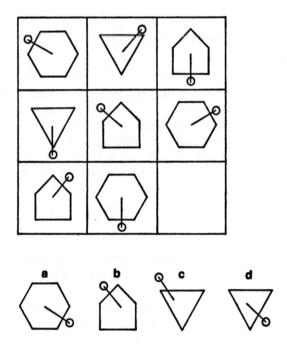

Figure 28

Pour compléter la grille, il faut inscrire la figure ...... dans la case vide

(c)

Il s'agit de remplir la case vide en choisissant la bonne figure parmi celles qui vous sont proposées.

Après avoir maîtrisé les problèmes d'ordre spatial, vous verrez que la grille ne présente que quelques difficultés supplémentaires. À première vue, on pourrait croire que le choix des transformations possibles d'un dessin à l'autre est très étendu; mais une recherche minutieuse montre qu'il n'en est rien.

Nous vous proposons ici une technique que nous avons mise au point à partir de nos propres recherches, et que nous avons appelée la *double diagonale*. Elle vous permettra de résoudre ces problèmes sans difficulté.

De nombreux psychologues conçoivent les grilles à partir de la figure mathématique du "carré latin". C'est une sorte de tableau dans lequel chaque composante apparaît une fois par rangée et une fois par colonne. C'est ce principe que nous avons appliqué pour faire le dessin ci-dessous:

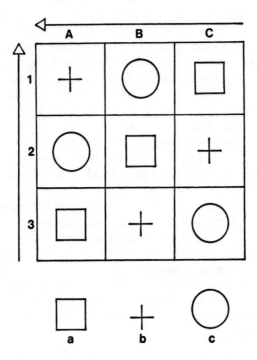

Figure 29

Pour mieux illustrer cette méthode, nous avons complété la grille; habituellement la dernière case en bas, à droite, devrait être vide et c'est vous qui devriez trouver quelle figure y inscrire, (a), (b), ou (c). La réponse: (c). Voici pourquoi.

Si vous étudiez le tableau, vous verrez que, dans une grille de 3 cases × 3 cases, chaque symbole, à savoir la croix, le cercle et le carré, apparaît trois fois. Il faut également remarquer que chacun apparaît *une fois* par colonne et *une fois* par rangée. En général, la case vide est située en bas, à droite, mais ce n'est pas toujours le cas.

Il faut suivre un certain ordre pour construire un carré latin, et c'est ce même ordre qui vous aidera à trouver la solution au problème.

Chaque dessin apparaissant une fois par rangée, il est facile de passer en revue la rangée du haut pour voir quels dessins la composent, puis de passer au dernier rang, (là où se trouve la case vide) pour trouver la solution. Ici, il est assez évident que c'est le cercle (c).

Nous avons observé, un à un, un grand nombre de volontaires, pour déterminer comment ils résolvaient ces problèmes. Nous leur avons demandé d'exposer à haute voix la méthode qu'ils suivaient. Quand ensuite nous avons analysé ces stratégies, nous avons découvert qu'une grande proportion de sujets utilisaient la méthode mentionnée précédemment. Or, si elle est efficace pour le problème ci-dessus, *elle ne l'est pas* lorsque les cases de la grille contiennent plusieurs éléments clés qui subissent chacun une transformation différente. Il faut alors garder en mémoire un grand nombre de données visuelles. Or les grilles qu'on trouve dans les tests de QI pour adultes sont presque toujours de ce niveau de difficulté. Nous en avons conclu qu'il fallait mettre au point une façon plus facile de les résoudre.

Nous avons donc entrepris une analyse mathématique d'un grand nombre de problèmes de grille, et avons découvert qu'il existait bien une stratégie plus simple. Il s'agit d'un programme qui permet de résoudre automatiquement les problèmes, tout en déchargeant au maximum la mémoire à court terme.

Peut-être avez-vous remarqué qu'une des diagonales de la grille complétée est faite uniquement de carrés? Les deux diagonales nous mènent immédiatement à la solution, à condition de savoir comment procéder.

La tactique de la double diagonale

Comme nous l'avons mentionné précédemment, la case vide se trouve généralement dans le coin droit inférieur de la grille, autrement dit, dans la diagonale allant du coin gauche supérieur au coin droit inférieur. Voilà qui peut vous fournir un précieux raccourci pour arriver à la solution. Si les deux dessins de la diagonale sont *identiques*, il suffit de choisir la même figure parmi celles qui sont proposées. Dans l'exemple ci-après (figure 30), vous trouvez immédiatement la solution; c'est (d).

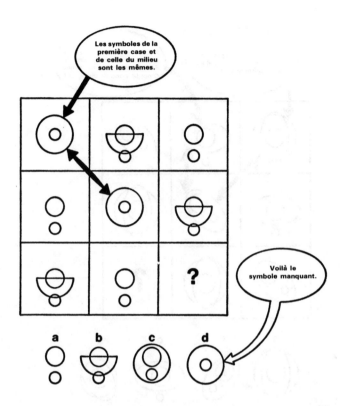

Figure 30

Si les deux dessins de la diagonale sont *différents*, vérifiez alors quel est le symbole qui se trouve dans la case *juste au-dessus de celle du milieu*. Voilà la bonne réponse! La figure 31 illustre la méthode de la double diagonale appliquée à un cas où des symboles *différents* occupent les deux premières cases de la diagonale où se trouve la case vide. Ici, la diagonale comprend déjà un grand cercle et une ellipse. Étant donné que ces dessins sont différents l'un de l'autre, la réponse se trouve juste au-dessus de la case du milieu, c'est-à-dire (c).

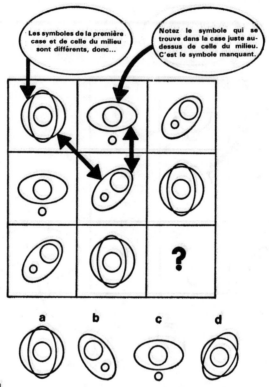

Figure 31

Ces stratégies sont infaillibles pour résoudre les problèmes conçus à partir du carré latin, car elles se basent sur les propriétés mathématiques inhérentes à cette structure. Il suffit de vous poser une seule question pour trouver la solution: les symboles qui se trouvent sur la même diagonale que la case vide sont-ils identiques?

Si la réponse est *oui*, le symbole qui va dans la case vide est le même que celui de la case du milieu.

Si la réponse est *non*, c'est le symbole situé juste au-dessus de la case du milieu qui va dans la case vide.

Nous venons d'examiner des problèmes de grille très simples, puisqu'ils ne mettent en jeu qu'une seule partie clé. Dans les tests de QI pour adultes, c'est plus complexe. Généralement, il y a plusieurs parties clés, qui se transforment de différentes façons pour vous rendre la tâche plus difficile. Malgré cela, la méthode de la double diagonale vous conduira directement à la bonne réponse.

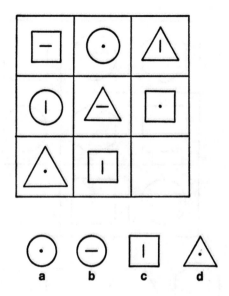

a   b   c   d

Figure 32

Ici, commencez par observer la diagonale où se trouve la case vide. Vous verrez immédiatement que le tiret, qui constitue la partie clé *intérieure* des dessins, est répété dans la diagonale. Ceci vous indique tout de suite que le tiret fait partie de la solution. Remarquez à présent que la partie clé extérieure des deux dessins est différente; il faut donc vous reporter directement à la case juste au-dessus de celle du centre. Elle contient une figure qui a un cercle comme partie clé extérieure. Donc la réponse doit être un cercle renfermant un tiret. Grâce à ces deux observations fort simples, il est clair que la réponse est (b).

Voici à présent dix problèmes. Rappelez-vous qu'il faut utiliser la méthode de la double diagonale dans chaque cas.

1.

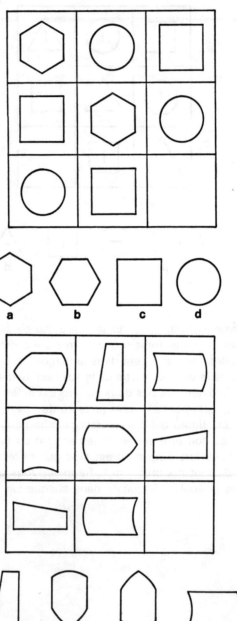

2.

3.

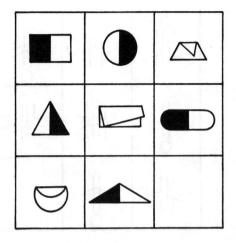

a   b   c   d

4.

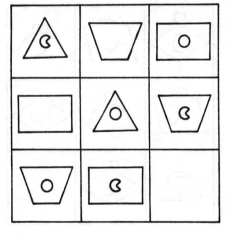

a   b   c   d

5.

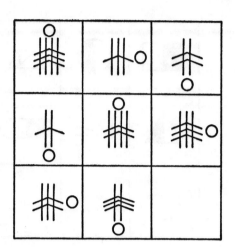

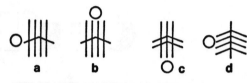

a   **b**   **c**   **d**

6.

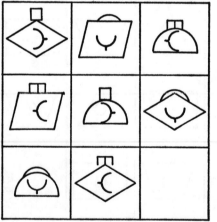

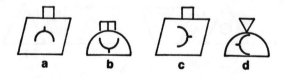

a   **b**   **c**   **d**

92

7.

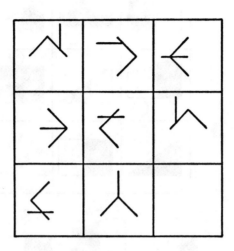

a

b

c

d

8.

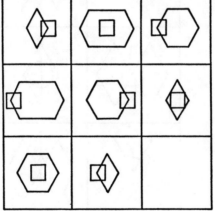

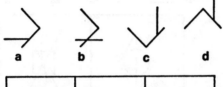

a   b   c   d

93

9.

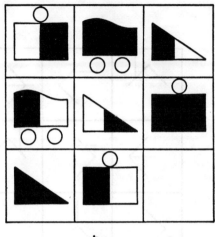

 a   **b**   **c**   **d**

10.

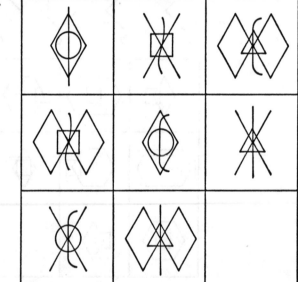

a   b   c   d

Figure 33

Comment reconnaître le carré latin

Les problèmes que vous venez de résoudre sont tous basés sur la figure que nous appelons le carré latin. Cependant, toutes les grilles ne sont pas construites ainsi, et il faut par conséquent être en mesure d'identifier ce type de construction.

Le *test des bandes* peut nous y aider. En observant la figure ci-dessous, on voit qu'en tirant deux parallèles à la diagonale qui contient deux figures identiques, on obtient deux diagonales plus courtes, chacune composée de deux cases qui présentent aussi des dessins semblables. Si vous obtenez ces trois bandes parallèles, vous savez qu'il vous suffit de suivre la méthode de la double diagonale pour arriver à la solution. Sinon, vous devrez avoir recours aux informations suivantes pour trouver la bonne réponse.

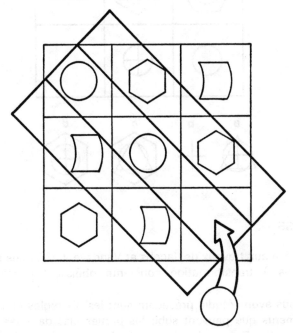

Figure 34

95

Grilles à transformation constante

Dans ce cas, chaque case contient un dessin différent, et le dessin à trouver peut aussi être complètement différent de tous les autres. Voici un exemple:

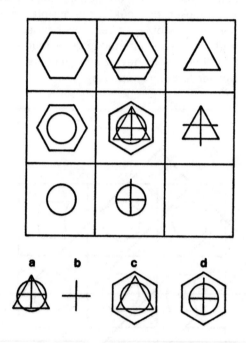

Figure 35

Grâce aux travaux de Jacobs et Vandeventer[20], nous savons que les grilles à transformation constante obéissent à trois grandes règles.

Nous avons étudié précédemment les dix règles concernant les changements que peuvent subir les parties clés dans les problèmes d'ordre spatial. Toutes s'appliquent également au cas qui nous occupe maintenant. Cependant, la grande majorité de ces problèmes obéissent aux trois règles suivantes:

L'ajout

Certaines parties clés des figures des deux premières cases s'additionnent pour produire celle de la troisième.

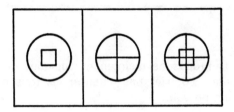

Figure 36

L'ajout et la soustraction

Comme l'illustre l'exemple ci-dessous, certaines parties clés peuvent s'additionner, tandis que d'autres disparaîtront dans la troisième figure. Ici, le petit carré et la croix se combinent, alors que le grand cercle disparaît.

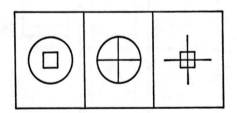

Figure 37

L'addition

Les composantes s'additionnent suivant une progression donnée.

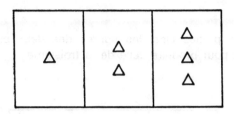

Figure 38

Nous vous proposons maintenant quelques grilles à transformation constante. N'oubliez pas d'utiliser les trois nouvelles règles que nous venons de voir.

Exercice no 7

1.

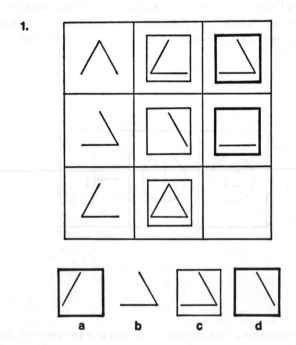

2.

3.

4.

5.

6.

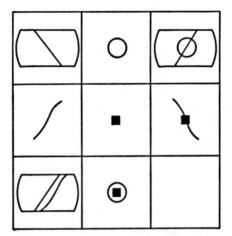

a   b   c   d

7.

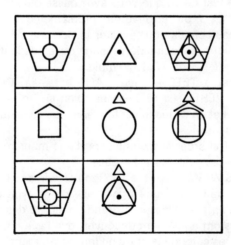

Figure 39   a   b   c   d

Section quatre

COMMENT MIEUX COMPRENDRE
LES PROBLÈMES DE MOTS

Dans le test de QI que vous avez passé plus tôt, comme dans la majorité des tests, on retrouve des problèmes qui ont trait aux mots. Ils ne sont pas conçus pour évaluer la richesse de votre vocabulaire, mais plutôt votre capacité de reconnaître et d'identifier les *rapports* existant entre les mots. Par exemple:

CHAPEAU est à TÊTE ce que GANT est à (a) CRAVATE (b) NEZ (c) MAIN (d) VESTE. La réponse est bien sûr (c), puisque le rapport entre une tête et un chapeau est le même que celui qui existe entre une main et un gant.

On peut aborder ces problèmes d'une manière tout aussi systématique que ceux relatifs à l'espace.

Le Dr S.W. Whitely et le Dr Rene Dawis de l'Université du Minnesota[21], ont fait une étude rigoureuse de ce type de problèmes, et ont établi qu'on peut classer la grande majorité des analogies en huit catégories. Ils ont également découvert que le seul fait de comprendre la nature de ces catégories entraîne immédiatement une augmentation importante du taux de bonnes réponses. Notre propre recherche, ainsi que les expériences pratiques réalisées dans nos ateliers ont confirmé la validité de cette stratégie. Nous allons vous montrer comment vous servir de ces huit catégories, en les intégrant à un programme infaillible.

Les huit catégories et leur mode d'emploi

Ici, trois étapes logiques.

Étape no 1

Trouvez le rapport existant entre les deux premiers mots en vous servant des catégories exposées ci-dessous.

Étape no 2

Trouvez, parmi les solutions proposées, un mot ayant avec le troisième le même type de rapport. Dans l'exemple donné plus haut, nous avons d'abord observé que le rapport entre CHAPEAU et TÊTE en est un de fonction (voir catégorie 6). Cherchons à présent parmi les solutions proposées le mot ayant le même rapport avec GANT. La solution est évidente: c'est main.

Étape no 3

Après avoir fait votre choix, vérifiez une dernière fois si vous n'êtes pas tombé dans un piège. Nous verrons plus loin comment éviter les écueils.

Dans notre exemple, le choix a été immédiat, car le problème était très simple. Beaucoup plus simple que ceux des tests que vous aurez à passer, et qui comportent des analogies très subtiles, impossibles à détecter à l'aveuglette. Le programme structuré décrit ici élimine immédiatement toute confusion grâce à un raisonnement direct et sûr.

Nous vous conseillons de commencer par examiner chaque catégorie dans l'ordre donné, vérifiant chaque exemple un par un, pour vous assurer que le rapport décrit est bien celui qui unit les mots suggérés.

Les huits catégories

Demandez-vous d'abord:

1. *Expriment-ils un rapport de similarité?*

La réponse est oui si les mots expriment la même réalité. Par exemple:

NAGER est à FLOTTER ce que CRIER est à   ?

(a) MURMURER   (b) SE QUERELLER   (c) HURLER

Les deux premiers mots, NAGER et FLOTTER expriment la même réalité. En définissant le rapport qui unit les deux mots, nous venons de compléter l'étape no 1 de notre programme.

103

À présent, il s'agit de trouver parmi les solutions proposées le mot qui exprime la même réalité que le mot CRIER.

Ce n'est pas MURMURER, puisqu'il signifie le contraire. SE QUERELLER ne convient pas non plus; on peut CRIER en se querellant, mais les deux mots n'expriment pas la même réalité. Il reste donc HURLER. La solution: (c).

La dernière étape consiste à vérifier rapidement si notre raisonnement est le bon. Ceci étant fait, vous êtes certain d'avoir trouvé la bonne réponse.

Si par contre, à la première question vous avez répondu non, posez-vous la question suivante...

2. Sont-ils contraires?

Par exemple:

CEUX-CI est à CEUX-LÀ ce que ALLER est à   ?

(a) AVANCER   (b) COURIR   (c) VENIR

CEUX-CI et CEUX-LÀ se ressemblent, et ont même une sonorité très semblable. Mais ce qui nous intéresse ici, c'est leur sens. Nous pouvons donc dire que ce sont des contraires.

Une fois le rapport établi, recherchez le contraire de ALLER dans les solutions proposées.

(a) est éliminé, puisque AVANCER expriment la même réalité. (b) ne convient pas non plus, car on peut courir tout en ALLANT, les deux ne se contredisent pas. La solution est donc (c), VENIR.

Par contre si vous avez répondu non à nos deux premières questions, vous devez alors vous demander...

3. Appartiennent-ils à un même groupe?

Les réalités qu'ils expriment appartiennent-elles à un même groupe de choses; ont-elles un point en commun. Par exemple, les oiseaux et les poissons appartiennent tous deux à la classe des animaux.

Dans le problème:

CHEVAL est à LION ce que BLEU est à   ?

(a) OISEAU   (b) ROSE   (c) HUMEUR

nous cherchons un rapport de groupe, puisque cheval et lion sont tous deux des animaux.

Ayant établi ce rapport, vous pouvez immédiatement passer à la deuxième étape et choisir le mot qui appartient au même groupe que BLEU. Comme c'est une couleur, seul (b) ROSE convient ici. Mais si vous avez répondu négativement à la troisième question, demandez-vous:

4. Expriment-ils un lien de classe?

Le premier ou le deuxième mot exprime-t-il la classe dont l'autre fait partie?

Par exemple:

AVRIL est à MOIS ce que ABEILLE est à ?

(a) FLEUR   (b) PRINTEMPS   (c) INSECTE

Les deux premiers mots:

Ont-ils le même sens? Non.

Ont-ils un sens opposé? Non.

Appartiennent-ils à un même groupe de choses? Non

Expriment-ils un lien de classe? Oui. AVRIL appartient à la classe des mois.

Nous devons donc chercher à quelle classe appartient l'ABEILLE. (c) INSECTE est donc la seule réponse possible.

Si vous avez choisi FLEUR ou PRINTEMPS, vous êtes tombé dans un piège que les concepteurs de tests appellent une "diversion". Il existe un effet un lien entre ces termes. FLEUR évoque ABEILLE, de même que AVRIL fait penser à PRINTEMPS. Mais pas un lien de classe.

Ce genre d'erreur est assez fréquent, surtout lorsqu'on est pressé par le temps.

La meilleure façon d'éviter ces écueils est de ne pas regarder les solutions proposées *avant* d'avoir établi le rapport existant entre les deux premiers mots. Couvrez-les et ne cherchez la réponse qu'une fois ce premier rapport établi clairement.

Si votre réponse aux quatre questions précédentes est négative, posez-vous la question suivante:

5. Expriment-ils une transformation?

Il peut s'agir d'un procédé spécifique (par exemple, le lait devient du beurre) ou d'une transformation due au temps, comme l'illustre l'exemple ci-dessous:

FLEUR est à BOUTON ce que PAPILLON est à ?

(a) POLLEN   (b) AILES   (c) CHENILLE

Ici, on a utilisé deux diversions: fleur et pollen, papillon et ailes. Si votre raisonnement se fait à l'aveuglette, vous tomberez dans le piège de ces associations. Il s'agit ici d'une transformation, les boutons deviennent des fleurs, et les chenilles des papillons.

PÂTE est à PAIN ce que FER est à ?

(a) CUIVRE   (b) ACIER   (c) IMMEUBLE

Ici, la transformation est causée par l'action de l'homme. La bonne réponse est donc (b) ACIER.

Si vous avez répondu négativement à cette question, passez à la suivante.

6. Expriment-ils un rapport fonctionnel?

Y a-t-il une action ou un rôle en cause? Exemple:
PROFESSEUR est à ÉTUDIANT ce que CONDUCTEUR est à ?
(a) GOLF   (b) VITESSE   (c) VOITURE

La bonne réponse est (c), car il y a un rapport fonctionnel entre un conducteur et une voiture, tout comme il y a un rapport de fonction entre le professeur et l'étudiant.

Il nous reste à examiner deux autres catégories.

7. Expriment-ils un rapport de quantité?

Il peut s'agir d'un rapport de taille. Par exemple:
MONTAGNE est à COLLINE ce que TIGRE est à ?
(a) JUNGLE   (b) CHAT   (c) LION

Lion sera peut-être le premier mot qui vous viendra à l'esprit; on associe toujours les lions aux tigres car ces deux animaux vivent dans la jungle. Ici encore, le concepteur du test vous a tendu des pièges. Ce qui nous intéresse pourtant, c'est un rapport de quantité. Une COLLINE étant plus petite qu'une MONTAGNE, la réponse correspondant à TIGRE est évidemment (b) CHAT.

Nous allons terminer par la huitième catégorie, qui n'est pas aussi évidente que les autres, mais qui n'en est pas moins fréquemment utilisée dans les tests de QI. Ici, une certaine créativité est requise.

8. Illustrent-ils un rapport formel?

TASSE est à LISSER ce que ILLUMINER est à ?
(a) RITOURNELLE   (b) COULEUR   (c) DANSER

Vous pourriez perdre un temps précieux si vous ne prenez pas la peine d'identifier d'abord la stratégie utilisée par le concepteur du test. Grâce à un programme systématique, vous découvrirez aisément qu'il s'agit ici d'un *rapport formel*.

La signification des mots ne joue aucun rôle. La solution réside dans *l'ordre des lettres* qui les composent. Voyons un autre exemple illustrant ce type de problème:
RENTRER est à SOURIS ce que ÉTAMPE est à ?
(a) VERSER   (b) JURIDICTION   (c) ÉCLIPSE

Comme dans l'exemple précédent, la signification des mots n'entre pas en ligne de compte. Examinez attentivement les mots proposés, et voyez s'ils présentent un rapport formel. Vous devez chercher une structure commune aux trois mots de l'exemple ainsi qu'à un quatrième appartenant aux solutions proposées.

Dans le premier exemple, TASSE et LISSER ont en commun une paire identique de consonnes "SS". ILLUMINER a deux "L". Ceci révèle immédiatement qu'il faut chercher une autre paire identique de lettres. Seul le mot RITOURNELLE contient deux "L".

Ce genre de problème est assez fréquent dans les tests de QI.

Dans le deuxième exemple, on a utilisé une structure également courante dans ce genre de test. Vous remarquerez que RENTRER, SOURIS et ÉTAMPE commencent et finissent par la même lettre. Ainsi, la seule réponse possible est le mot ÉCLIPSE car il suit la même règle.

Vous rencontrerez parfois dans les tests des mots peu courants et très longs. Ce n'est là qu'un truc qui ne doit pas vous influencer; en effet, une fois que vous avez établi qu'il s'agit d'un *rapport formel* entre les mots, vous n'avez plus à vous préoccuper de leur *signification*. Vous pouvez très bien trouver la solution sans forcément connaître le sens de certains mots, comme dans l'exemple ci-dessous:
NONOBSTANT est à PRÉCÉDENT ce que RÊVERIE est à   ?
(a) DÉCORER   (b) LOCOMOTION   (c) CASSANDRE

Nous avons pu établir que, devant des mots comme nonobstant ou cassandre, 60 % des sujets abandonnent après *trois secondes*.

Grâce au programme adéquat, vous n'aurez aucune difficulté à reconnaître qu'il s'agit d'un rapport de structure, et en suivant la même analyse logique, à découvrir les règles de construction.

La meilleure approche est de noter le type de lettres utilisées dans le mot, en marquant sous chacune d'elles "v" ou "c" (voyelle ou consonne):

NONOBSTANT	PRÉCÉDENT	RÊVERIE
c v c v c c c v c c	c c v c v c v c c	c v c v c v v

Identifiez à présent le type de construction: vous avez le choix entre:
1. *Paires de lettres identiques*
2. *Première et dernière lettres identiques*
3. *Structures voyelle/consonne*
4. *Mots construits à partir d'un autre mot*
5. *Mots ayant des groupes identiques de lettres*
Voyons plus en détail ces cinq catégories.

1. Paires de lettres identiques

Cette catégorie est, comme nous l'avons vu, celle qui correspond au premier exemple. Elle ne convient pas ici.

2. Première et dernière lettres identiques

C'est la catégorie qui correspond au deuxième exemple. Elle ne convient pas ici.

3. Structures voyelle/consonne

Voyons s'il existe un tel rapport de structure dans notre exemple: NO*N*OBSTANT, PRÉ*C*ÉDENT, RÊ*V*ERIE présentent la même structure vcv. Nous voyons que si cette règle est la bonne, seul le mot LOCO-MOTION convient. DÉCORER ne convient pas, malgré sa séquence vcv, car les deux voyelles encadrant le C ne sont pas identiques comme dans les trois mots de l'énoncé.

Ce problème compte parmi les plus complexes que vous aurez à résoudre dans la majorité des tests d'intelligence. Les problèmes présentant des rapports de structures de lettres sont difficiles, car le sujet a du mal à faire abstraction de la *signification* des mots.

4. Mots formés à partir d'un autre mot

Exemple:

RAPATRIEMENT est à ASSOIFFÉ ce que ENDOMMAGER est à   ?

(a) ENCADREMENT   (b) ALCOOL   (c) NAVIRE

Les trois premiers mots sont respectivement formés à partir des mots PATRIE, SOIF et DOMMAGE. Seul (a) ENCADREMENT convient ici, puisqu'il est formé à partir du mot CADRE.

5. Mots ayant des groupes identiques de lettres

Notre premier exemple, TASSE, LISSER, ILLUMINER, RITOUR-NELLE appartient à cette catégorie. En voici un autre:

ENSOLEILLÉ est à CHANDELLE ce que HUTTE est à   ?

(a) LUMIÈRE   (b) BATTRE   (c) MUSIQUE

Les tests de QI ne sont pas faits pour évaluer votre culture générale. Il est donc assez rare qu'on utilise des mots très difficiles. Le cas échéant, cela peut *parfois* être l'indice d'un rapport formel. Vous devez cependant être prêt à passer certains tests très complexes où le vocabulaire utilisé est assez sophistiqué.

Attention aux faux amis

Les faux amis sont des mots qui ont deux sens. Exemple:

VALIDE est à PÉRIMÉ ce que LIBRE est à   ?

(a) MALADE   (b) CAPTIF   (c) FAUX   (d) SAIN

Le mot VALIDE a deux significations: celle de personne en bonne santé, et celle de valable, qui présente les conditions nécessaires pour produire son effet. Si, dans le cas présent on prend *valide* dans le sens de SAIN, on n'arrivera pas à identifier le rapport qu'il a avec PÉRIMÉ. Par contre, si on le prend dans son deuxième sens, on perçoit tout de suite que PÉRIMÉ exprime le contraire de VALIDE, et qu'il faudra choisir CAPTIF, pour exprimer le contraire de LIBRE.

Nous vous conseillons vivement de procéder étape par étape afin d'éliminer une à une les différentes catégories possibles. Ce procédé est légèrement plus long, mais il présente deux gros avantages. Premièrement, suivre une tactique est toujours sécurisant; et deuxièmement, nous avons découvert lors de nos recherches qu'une approche systématique entraîne le cerveau à travailler plus rapidement et sans fatigue. C'est le succès assuré pratiquement à 100%.

Voici une série d'exercices pour vous assurer que vous avez bien compris ces différents types de rapports et que vous pouvez les identifier rapidement. Dans chaque cas, notez le type de rapport illustré. Vous trouverez les réponses à la fin de la section.

Exercice no 8

(1) Ici-Là (2) Avare-Regardant (3) Graine-Plante (4) Démangeaison-Grattement (5) Vain-Inutile (6) Sport-Billard (7) Centaine-Douzaine (8) Illégal-Lamelle (9) Ténu-Épais (10) Continuer-Persévérer (11) Où-En-bas (12) Clément-Strict (13) Monter-Grimper (14) Maintien-Manière (15) Brise-Ouragan (16) Savant-Expériences (17) Fer-Rouille (18) Coffre-Roue (19) Tête-Cou (20) Profil-Forme (21) Foule-Paire (22) Buisson-Plante (23) Humeur-Chaleur (24) Terre-Pelle (25) Mince-Cintre (26) Restreindre-Réduire (27) Halluciner-Pianiste (28) Svelte-Corpulent (29) Commandement-Garçonnière (30) Fusée-Métallique

Passons maintenant aux problèmes de mots tels qu'on les trouve dans les tests de QI. Tâchez non seulement de choisir le bon terme, mais efforcez-vous aussi d'identifier le type de rapport illustré dans chaque cas. Méfiez-vous des pièges et des faux amis. Vous trouverez les réponses à cet exercice à la fin de la présente section.

Exercice no 9

1. ALLER est à VENIR ce que AU-DESSUS est à (a) À L'ENVERS (b) EN HAUT (c) EN-DESSOUS (d) EN-BAS (e) PAR-DESSUS

2. TROUVER est à LOCALISER ce que RENFERMER est à (a) DÉCOUVRIR (b) RELÂCHER (c) CONTENIR (d) ÉCHANTILLON (e) CLAIR

3. SOURIRE est à FISSURE ce que GUINDÉ est à (a) DÉCOUVRIR (b) GOUFFRE (c) RÉALISTE (d) GRIMACE (e) TROUBLÉ

4. BEAUCOUP est à MAXIMUM ce que DOUX est à (a) BOUGER (b) SILENCE (c) DÉLICAT (d) LISSE (e) GROUPE

5. RASSEMBLEMENT est à PAIRE ce que FOULE est à (a) GENS (b) PANIQUE (c) SE PRESSER (d) MARCHER (e) GROUPE

6. SOURIS est à MAMMIFÈRE ce que FOURMI est à (a) MOUCHE (b) INSECTE (c) LION (d) RAMPER (e) DIFFÉRENCE

7. VOIR est à ENTENDRE ce que NAVIGUER est à (a) VOYAGER (b) SE BALANCER (c) VOLER (d) RECEVOIR (e) VENT

8. PENSER est à RÉFLÉCHIR ce que CHANGER est à (a) TRANSFORMER (b) DEMEURER (c) EMMAGASINER (d) EXÉCUTER (e) POSITION

9. MAISON est à FONDATION ce que AUTOMOBILE est à (a) CONDUIRE (b) ACCIDENT (c) PNEU (d) NAGER (e) CIRCULATION

10. ASSIS est à RASSURÉ ce que ANTENNE est à (a) TONNEAU (b) CHAISE (c) COLÈRE (d) DOS (e) TÉLÉVISION

11. RAGOÛT est à VIANDE ce que MUSIQUE est à (a) BRANCHE (b) FORESTIER (c) MODÈLE (d) NOTE (e) ARRIVER

12. FLEUR est à ABEILLE ce que IMMEUBLE est à (a) BUREAU (b) CHARPENTIER (c) DÉTRUIRE (d) SOL (e) RÉSULTAT

13. NÉGLIGENCE est à ACCIDENT ce que GLOUTONNERIE est à (a) EXCÈS (b) NOURRITURE (c) AMÉLIORATION (d) SOUPER (e) INDIGESTION

14. ACCEPTER est à DÉCLINER ce que CONSENTIR est à (a) PERMETTRE (b) REFUSER (c) RÉVÉLER (d) HÉSITER (e) DÉPENSER

15. FEU est à CHALEUR ce que FLEUR est à (a) POUSSER (b) FEUILLE (c) PARFUM (d) PÉTALE (e) SOL

Si vous avez éprouvé de la difficulté avec cet exercice, nous vous suggérons de reprendre les questions qui vous ont semblé particulièrement difficiles; et assurez-vous de procéder avec méthode. Voici les questions clés que vous devez vous poser devant chaque problème:

Question no 1
Les deux premiers mots ont-ils le même sens? Si la réponse est non, passez à la...
Question no 2
Les deux premiers mots ont-ils un sens opposé? Si la réponse est non, passez à la...
Question no 3
Les deux premiers mots expriment-ils des réalités qui appartiennent au même groupe de choses? Si la réponse est non, passez à la...
Question no 4
Un des deux mots indique-t-il une catégorie à laquelle l'autre appartient? Si la réponse est non, passez à la...
Question no 5
Y a-t-il un rapport de transformation entre les deux mots? Si la réponse est non, passez à la...
Question no 6
Y a-t-il un rapport de fonction entre les deux mots? Si la réponse est non, passez à la...
Question no 7
Les deux mots expriment-ils une notion de quantité?

Si la réponse est encore négative, il est probable qu'il s'agisse non pas d'un rapport de sens, mais d'un rapport formel.

Le degré de complexité varie énormément dans les problèmes de mots, et vous rencontrerez certainement des cas où le rapport en cause sera difficile à déterminer, et échappera aux huit catégories que nous avons énumérées. Le cas échéant, nous vous conseillons de suivre le procédé mis au point par un psychologue américain, le Dr A. Willner[22]. Il s'agit d'*intervertir* l'ordre des mots du problème.

Dans le cas PAIX est à BONHEUR ce que GUERRE est à (a) CHAGRIN (b) COMBAT (c) SANG (d) BATAILLE on peut passer en revue les huit catégories sans trouver la réponse. Essayez alors de changer l'ordre des mots en associant le premier et le troisième, ce qui donne:
PAIX est à GUERRE ce que BONHEUR est à (a) CHAGRIN (b) COMBAT (c) SANG (d) BATAILLE

La relation est évidente, et la solution est (a) CHAGRIN.

Ce procédé ne convient pas toujours, mais il est utile lorsqu'on a de la difficulté à établir la relation entre les mots.

111

Pareil, pas pareil

On retrouve couramment ce genre de problème où le sujet doit identifier le mot présentant certaines particularités communes avec un groupe de mots. Par exemple, on vous demandera de trouver le mot qui complète la série suivante:

COURBE ZIGZAG DROITE ?

(a) LONG (b) CERCLE (c) LOIN (d) DISTANCE

La solution est CERCLE car ce mot décrit, comme les trois autres, une forme.

Ce genre de problème fait généralement appel à deux catégories distinctes. Il s'agit soit de mots exprimant un même *groupe de choses*, ou présentant un rapport *formel*.

Dans notre exemple, il s'agissait d'un même *groupe de choses.*

Autres exemples:

NAVIGUER NAGER RAMER ?

(a) MARCHER (b) FLOTTER (c) VOYAGER (d) APPROCHER

La réponse: FLOTTER, qui exprime lui aussi un moyen de se déplacer dans l'eau.

HOMME FEMME ADOLESCENT ?

(a) SINGE (b) NOURRISSON (c) FAMILLE (d) RELATIONS

La réponse: NOURRISSON, qui exprime lui aussi une catégorie d'êtres humains.

CIEL POUR NOUS ?

(a) VOLER (b) AVION (c) LOUP (d) CONTRE

Le rapport est .... et la réponse est .... (formel; loup)

La structure commune aux quatre mots est cvvc

Voici une série d'exercices semblables. Vous trouverez les réponses à la fin de cette section.

Exercice no 10

(1) Ici Là-bas Loin ?
    (a) Ceux-ci (b) Lointain (c) Là
(2) Oeil Rein Poumon ?
    (a) Cerveau (b) Oreille (c) Coeur
(3) Nièce Petite-fille Mère ?
    (a) Père (b) Cousin (c) Épouse
(4) Point Virgule Deux-points ?
    (a) Mot (b) Trait d'union (c) Lettre
(5) Pôle Sapin Total ?
    (a) Rare (b) Arbre (c) Chiffre

(6) Talent   Capacité   Aptitude   ?
    (a) Motivation   (b) Habileté   (c) Potentiel
(7) Chien   Vache   Poulet   ?
    (a) Loup   (b) Cochon   (c) Lion
(8) Note   Basse   Bémol   ?
    (a) Spectacle   (b) Partition   (c) Tranquille

Trouvez l'intrus

Voici un dernier type de problème que vous pouvez rencontrer. Il s'agit dans ce cas de trouver le mot qui n'appartient pas au groupe. Par exemple:

SOLEIL   BOUGIE   LUMIÈRE ÉLECTRIQUE   MIROIR

La réponse est MIROIR; les trois premiers mots évoquent une lumière directe, alors qu'un miroir ne peut que réfléchir la lumière. Les problèmes que vous aurez à résoudre ne seront pas tous aussi simples.

Si, par exemple, on vous avait présenté le problème ainsi:

MERCURE   MIROIR   ARGENTERIE   BOUGIE, l'intrus aurait été BOUGIE, seule source directe de lumière.

Lorsque vous serez confronté à ce genre de problème, demandez-vous d'abord s'il s'agit d'un groupe de choses; sinon, pensez à un rapport formel. L'exercice suivant vous propose des exemples des deux types. Les réponses se trouvent à la fin de la section.

Exercice no 11

(1) Se demander   Penser   Réfléchir   S'agiter
(2) Vendre   Sourire   Diriger   Bouger
(3) Marcher   Nager   Porter   Conduire
(4) Meilleur   Pire   Moins   Plus
(5) Golf   Tennis   Soccer   Squash
(6) Fabrication   Admission   Révision   Combinaison
(7) Opération bancaire   Publication   Assurance   Investissement
(8) Triangle   Cercle   Carré   Rectangle
(9) Délaisser   Surpasser   Refuser   Dépasser
(10) Indiquer   Abdiquer   Remarquer   Impliquer

Réponses
Exercice no 8
(1) Contraires   (2) Similarité   (3) Transformation   (4) Fonction   (5) Similarité   (6) Classe   (7) Quantité   (8) Formel (9) Con-

traires (10) Similarité (11) Classe (12) Contraires (13) Similarité (14) Similarité (15) Quantité (les deux mesurent la force des vents) (16) Fonction (17) Transformation (18) Groupe de choses (19) Fonction (20) Fonction (21) Quantité (22) Groupe de choses (23) Fonction (24) Fonction (25) Formel (26) Similarité (27) Formel (28) Contraires (29) Formel (mots formés à partir d'un autre substantif) (30) Groupe de choses

Exercice no 9
(1) d (2) c (3) c (4) b (5) e (6) b (7) c (8) a (9) c
(10) a (11) d (12) b (13) e (14) b (15) c

Exercice no 10
(1) c (2) b (organes allant par paire) (3) c (4) b (5) a
(6) b (7) b (8) b

Exercice no 11
(1) S'agiter (2) Bouger (3) Porter (4) Meilleur (seul terme absolu, les autres sont relatifs) (5) Soccer (6) Combinaison (7) Publication (8) Cercle (seule figure n'ayant pas d'angles) (9) Refuser (seul mot ne se terminant pas par "sser") (10) Remarquer (pas de "i")

Section cinq

COMMENT MIEUX COMPRENDRE LES PROBLÈMES NUMÉRIQUES

La majorité des tests de QI comportent des problèmes numériques. Cela ne doit pas vous décourager, même si vous êtes, comme beaucoup d'autres "allergiques" aux chiffres. Nous vous proposons ici des programmes rapides et efficaces qui vous permettront de résoudre les questions les plus difficiles.

Trouver le nombre manquant

Il s'agit de compléter une série de nombres en trouvant celui qui manque.
Exemple:

3   7   12   ?   25

Il faut d'abord, c'est évident, que vous trouviez le principe sur lequel est basée la série.

Que vous ayez ou non trouvé la solution au problème ci-dessus, essayez de retracer la stratégie que vous venez d'utiliser pour le résoudre. Au cours de nos recherches, nous avons demandé à un grand nombre de personnes de formuler à haute voix leur raisonnement. Nous avons pu ainsi identifier les processus utilisés, et déterminer celui qui était le plus courant, à savoir: "Si je soustrais 3 de 7, j'obtiens 4. La différence entre 7 et 12 est de 5, soit un écart plus grand que dans la première opération. Je me demande si le principe utilisé n'est pas que la différence entre les nombres augmente d'une unité de gauche à droite. Si c'est le cas, j'aurais une différence de 6 entre 12 et l'inconnue, ce qui donne 18. Je vérifie en ajoutant 7 à 18. Cela donne 25, donc mon raisonnement est bon.

Ceci est un exemple typique de raisonnement utilisé dans ce genre de problèmes. Or cette stratégie est inefficace, pour deux raisons majeures. Premièrement, vous cherchez la solution à l'aveuglette, et cela vous fait perdre un temps précieux. Deuxièmement, cela oblige votre mémoire à retenir un trop grand nombre de données. N'oubliez pas que notre exemple est beaucoup plus simple que la majorité des problèmes que vous devrez résoudre lors de tests de QI.

Nous avons élaboré un programme rapide, car il emprunte les chemins les plus courts pour arriver à la solution, et sûr, car il n'encombre pas la mémoire d'une foule de données. Vous verrez tout de suite pourquoi ce procédé, appelé le "grand V", permet de résoudre facilement et rapidement les problèmes les plus complexes. Pour commencer, prenons un exemple simple:
Trouvez le nombre manquant dans la série suivante:

5   9   13   ?   21

Avec ce procédé, la première étape consiste à relier chaque nombre au suivant par une série de "V".

Là où c'est possible, soustrayez chaque nombre de celui qui est à sa droite, et inscrivez la réponse sous le "V" correspondant.

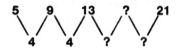

(9 − 5 = 4; 13 − 9 = 4; le ? ne nous permet pas d'aller plus loin pour l'instant). Nous obtenons donc le chiffre 4 sous les deux premiers "V". Pour vérifier votre calcul, il vous suffit *d'ajouter* le nombre de la série à celui qui se trouve en-dessous, à la base du V.

Cela nous donne 5 + 4 = 9 et 9 + 4 = 13, et nous fournit un indice quant aux nombres manquants. Comme on a obtenu 4 sous les deux premiers V, il semble logique que 4 soit le nombre correspondant aux deux autres V. Voyons ce qu'on obtient ainsi:

Ce n'est là qu'une solution provisoire, qui devra être vérifiée.

Regardons maintenant ce qui se passe si nous continuons à additionner 4 aux nombres de la série: 13 + 4 = 17. Et enfin, 17 + 4 = 21.

La réponse est 17; et on peut le vérifier en ajoutant 4 à 17; on obtient alors le dernier nombre de la série, 21.

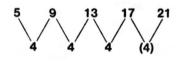

Les concepteurs de tests compliquent généralement l'énoncé en plaçant le nombre manquant n'importe où dans la série. Vous auriez pu lire l'exemple ci-dessus comme suit:

ou

| 5 | 9 | 13 | 17 | ? |

| 5 | 9 | ? | 17 | 21 |

Quelle que soit la place du ? dans l'énoncé, la méthode du "grand V" est toujours efficace. Il vous suffit de joindre les nombres de la série comme nous l'avons vu, et d'inscrire les différences.
Par exemple:

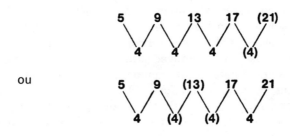

ou

Le seul cas où vous aurez un ajustement à faire sera lorsque le nombre manquant se trouvera au début de la série.
Exemple:

ou

| ? | 9 | 13 | 17 | 21 |
| 5 | ? | 13 | 17 | 21 |

Commencez par tracer les "V" et calculer la différence entre chaque nombre de la série.

Dans ce cas, vous devrez toutefois *soustraire* cette différence provisoire du nombre situé en diagonale à sa droite.

Voici deux exemples pour vous exercer.

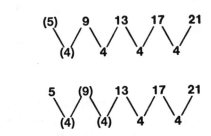

ou

Dans le premier exemple, $9 - 4 = 5$; 5 est donc le nombre manquant. Dans le deuxième exemple, $13 - 4 = 9$; 9 est donc le nombre manquant. On peut vérifier la solution en soustrayant le dernier 4 de 9. Cela donne 5, soit le premier nombre de la série.

Nous avons délibérément choisi des exemples très simples. Vous devez vous familiariser avec cette méthode, de façon à ce qu'elle devienne automatique. Tout comme pour les autres programmes décrits dans ce cours, la pratique est le moyen le plus efficace pour acquérir ce genre de "réflexe". Nous vous proposons à présent une série d'exercices. Même si la solution vous semble évidente, suivez scrupuleusement notre méthode.

Vous remarquerez que dans certains exemples, les nombres décroissent de gauche à droite. C'est un procédé assez courant dans les tests de QI. Vous vous y habituerez en commençant par réorganiser les nombres en ordre croissant, de gauche à droite, ex: 11 9 7 ? 3 devient 3 ? 7 9 11; ensuite utilisez le "grand V". Vous trouverez les solutions à la fin de cette section.

Exercice no 12

(a)	5	7	?	11	13
(b)	4	?	12	16	20
(c)	2	7	12	?	22
(d)	0	?	12	18	24
(e)	42	37	?	27	22
(f)	7	16	25	34	?
(g)	120	99	?	57	36
(h)	0	?	34	51	68
(i)	3	?	19	27	35
(j)	51	74	97	?	143

Les problèmes dont nous avons ici donné des exemples comptent parmi les plus simples. On obtient la solution en ne traçant qu'une ligne de "V"; ces problèmes à un seul niveau sont dits primaires. Mais vous rencontrerez beaucoup plus fréquemment des problèmes binaires et ternaires, c'est-à-dire nécessitant pour les résoudre une deuxième et une troisième rangée de "V".

Problèmes binaires

3   5   9   15   ?   33

Avant de regarder comment nous avons résolu ce problème, essayez de trouver l'inconnue par vous-même. Vous verrez que les rapports numériques sont plus complexes, et plus intéressants que dans les exemples précédents.

Tracez la première rangée de "V" et soustrayez normalement. Vous obtiendrez:

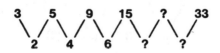

Les nombres du bas ressemblent à ceux que vous trouveriez dans un problème de type primaire. Traitez-les donc comme si tel était le cas, en utilisant le "grand V".

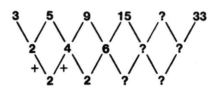

$2 + 2 = 4$, et $4 + 2 = 6$, il est donc probable que les nombres manquants sont également des 2. Si cette hypothèse est juste, on trouvera les autres inconnues en additionnant de la façon habituelle.

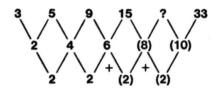

Notez que, comme précédemment, nous mettons les solutions probables entre parenthèses.

Suivons à présent la méthode du "grand V" pour trouver le nombre manquant:

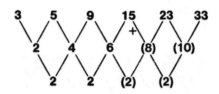

Vérifions notre résultat en référant au nombre qui venait après le nombre manquant.

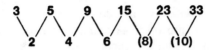

La vérification confirme notre résultat; la bonne réponse est 23.

Nous vous proposons maintenant une série de problèmes. Vous verrez qu'après en avoir résolu quelques-uns, vous n'aurez plus besoin d'écrire la deuxième ligne de "V". Cependant, nous vous conseillons, au début, d'écrire en entier tous vos calculs, afin de bien comprendre comment la méthode fonctionne.

Exercice no 13

(a)	1	5	10	16	?	31
(b)	2	4	7	11	?	22
(c)	1	4	9	16	?	36
(d)	3	6	12	21	?	
(e)	2	7	14	23	?	47
(f)	1	5	13	25	?	
(g)	0	5	15	?	50	
(h)	2	6	12	?	30	42
(i)	0	2	7	?	26	40
(j)	23	17	12	?	5	

(*Un conseil:* N'oubliez pas s'il y a lieu de réorganiser la série, de façon à ce que les nombres croissent de gauche à droite. N'oubliez pas non plus dans ce cas, de travailler avec le double V de la droite vers la gauche, puisque l'inconnue se trouve à présent au début de la série. Reportez-vous aux explications du début si vous avez des difficultés.)

Problèmes ternaires

En étudiant toutes sortes de tests de QI, nous avons découvert que les problèmes numériques de type ternaire étaient fréquemment utilisés. Il s'agit dans ce cas, pour trouver la solution, d'ajouter une troisième rangée de "V".

À notre connaissance, les problèmes de séries ne dépassent jamais trois niveaux. Voici une règle importante que vous devrez suivre en traçant vos "V". Arrêtez-vous lorsque toute la rangée du bas est composée du *même nombre*. Vous avez remarqué que dans notre exemple de type binaire toute la deuxième rangée de "V" donne 2; nous n'avions plus besoin de tracer d'autres "V".

Si vous gardez cette règle en mémoire, vous ne serez pas tenté de transformer un problème binaire en problème ternaire. D'autre part, *si à la troisième rangée, vous obtenez autre chose que la répétition d'un même nombre, vous pouvez conclure que ce problème n'a pas été conçu à partir d'une simple addition.*

Avant d'aborder ce genre de problème, voyons un exemple de problème ternaire:

$$1 \qquad 3 \qquad 6 \qquad 11 \qquad 19 \qquad ?$$

Essayez de trouver la réponse à partir de l'information que nous vous avons donnée jusqu'à maintenant.

Vous trouverez ci-dessous le diagramme complet. Si vous obtenez le même résultat, bravo. Sinon, notez vos erreurs. Reportez-vous aux explications du début, et assurez-vous que vous avez bien saisi les différentes étapes de la méthode.

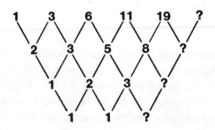

Les problèmes ternaires ne sont pas plus compliqués que les autres. Il suffit d'ajouter une rangée de V pour trouver la solution.

Inscrivez 1 comme différence provisoire, à la dernière rangée.

Si votre hypothèse est juste, le nombre manquant de la deuxième rangée est 4. Rappelez-vous: vous devez toujours ajouter au nombre de la série celui qui se trouve à sa droite, le long de la diagonale. Inscrivez 4 comme seconde différence provisoire.

Ajoutez (4) à 8. Vous obtenez une différence provisoire de (12).

Enfin, ajoutez (12) à 19, ce qui donne comme réponse 31.

Voici pour vous exercer quelques problèmes ternaires. Vous trouverez les réponses à la fin de cette section.

Exercice no 14

(a)	3	5	8	13	21	?
(b)	2	5	9	15	24	?
(c)	0	1	5	13	26	?
(d)	1	2	4	10	23	?
(e)	2	4	7	12	?	32

Quand il ne s'agit pas d'une simple addition

Jusqu'à présent, nous avons étudié des séries formées par addition. Or il arrive que celles-ci soient construites à partir d'une multiplication. Exemple:

$$3 \quad 6 \quad 12 \quad 24 \quad ?$$

On s'aperçoit rapidement que les nombres *doublent*, de gauche à droite. Il suffit donc pour trouver la réponse de multiplier 24 par 2.

En utilisant le V on obtient:

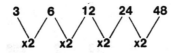

Chaque fois qu'une série augmente *rapidement*, pensez à la multiplication. Exemple:

$$1 \quad 3 \quad 9 \quad ? \quad 81$$

L'écart entre le troisième nombre et le dernier est très important; il est donc évident qu'il ne s'agit pas d'une addition, mais d'une multiplication.

Avec le V, on obtient:

$3 \times 9 = 27$, et $3 \times 27 = 81$, donc la réponse est exacte.

La règle à suivre est la suivante:

1	3	5	_7_	9
1	3	9	_27_	81

1. Si les nombres augmentent lentement, il s'agit sans doute d'une addition.

2. Si les nombres augmentent rapidement, il s'agit sans doute d'une multiplication.

Si la série commence par 0, comme dans les questions (d) et (h) de l'exercice no 12, il est évident qu'il s'agit d'une addition.

Pour les séries basées sur une multiplication, il faut non pas *soustraire*, mais *diviser* chaque nombre par celui qui le précède. Voici un exemple:

Trouvez le nombre manquant:

1   4   16   ?   256

Nous voyons tout de suite qu'il s'agit ici d'une multiplication, et qu'il faut par conséquent diviser et non soustraire. Après avoir tracé les "V", nous obtenons la deuxième rangée qui se lit comme suit:

(Réponse)

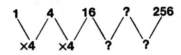

Supposons que les deux inconnues de la rangée inférieure sont aussi des 4. On obtient:

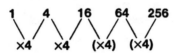

Nous obtiendrons le nombre manquant en .... chaque nombre de la série par le nombre situé à la pointe du "V", à sa .... (multipliant; droite)
Ce qui nous donne:

1   4   16   64   256
×4   ×4   (×4)   (×4)

Il nous reste à vérifier la réponse en .... le nombre que nous avons trouvé par .... Si la réponse est bonne, nous devrions obtenir .... (multipliant; 4; 256)

Dans ce problème, le multiplicateur est constant. Il se peut qu'il soit variable, comme l'illustre la série suivante:

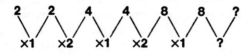

La réponse est 16.

Sachant que cette variation existe, vous l'identifierez sans peine lorsque vous n'obtiendrez aucun résultat en multipliant par le même nombre. Quoi qu'il en soit, ce type de série n'est pas fréquent, et se traite comme les autres avec le V.

Voici quelques problèmes dont vous trouverez les solutions à la fin de cette section.

Exercice no 15

(a)	2	4	?	16	32		
(b)	2	6	?	54	162		
(c)	1	2	6	12	36	?	
(d)	15	21	24	30	33	?	
(e)	256	64	16	?			
(f)	7	?	63	189	567		
(g)	1	1	4	4	16	16	?
(h)	2	4	16	?	128	256	

Le CMA

Voici un dernier type de séries faciles à résoudre par la méthode du "grand V". Il s'agit du CMA, calcul de multiplication et d'addition.

Voici un problème de ce type. Observez les différents niveaux de V. Comme vous pouvez le voir, les niveaux un et deux sont basés sur une addition, tandis que le deuxième et le troisième sont reliés par une multiplication. Étudiez attentivement cet exemple, et assurez-vous que vous comprenez bien la façon dont la série combine les deux opérations.

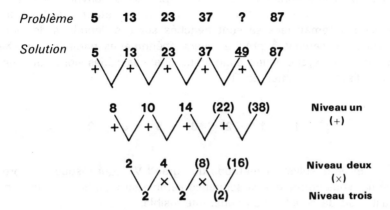

Pour vous amuser, reprenez cet exemple en n'utilisant que l'addition. Vous verrez ainsi que les problèmes du type CMA sont remplis de pièges.

La technique du "grand V" vous permet d'identifier facilement ce type de problème, en faisant clairement ressortir que l'addition seule est insuffisante. Essayez alors la multiplication.

Voici quelques exercices dont vous trouverez les réponses à la page 128.

(a)	3	4	7	16	?	124
(b)	3	6	10	16	?	44
(c)	0	2	10	42	?	512

(*Remarque:* Souvenez-vous de ce que nous avons dit au sujet des séries commençant par 0. On voit ici que cela écarte la multiplication uniquement pour la première ligne du problème.)

Les nombres de Fibonacci

Au Moyen Âge, un éminent mathématicien italien du nom de Leonardo Fibonacci étudia la progression mathématique en prenant comme exemple la reproduction des lapins qui, on le sait, est très rapide. Il décida de trouver le nombre exact d'individus qu'on obtenait après plusieurs générations, et fut surpris de découvrir que la progression se faisait suivant une série numérique déterminée. De nombreux mathématiciens se sont penchés sur ces "nombres de Fibonacci", qui servent à prédire divers phénomènes naturels. Au XXe siècle, des psychologues estimèrent que ces séries constitueraient d'excellents problèmes de QI.

1   1   2   3   5   8   ?

Si vous suivez la méthode du "grand V" pour résoudre ce problème, vous verrez que la séquence semble se répéter à l'infini, sans qu'il y ait de construction cohérente visible.

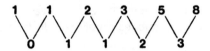

Il est évident qu'il s'agit ici d'une technique particulière d'agencement numérique, et qu'il faut par conséquent aborder le problème d'une autre manière.

On peut découvrir la structure inhérente à la série en examinant l'ordre des éléments et en réfléchissant un peu.

1   1   2   3   5   8   ?

Réponses

a. 43. Chaque nombre situé sous la première rangée de "V" est trois fois plus grand que le nombre qui le précède.

b. 26. Chaque nombre situé sous la deuxième rangée de "V" est deux fois plus grand que le nombre qui le précède.

c. 170. La première rangée de "V" est basée sur une addition, la seconde sur une multiplication par 4.

On remarque que chaque nombre de la série, à partir du troisième, est la somme des deux précédents:

$(1 + 1) = 2$ $(1 + 2) = 3$ $(2 + 3) = 5$ etc.

Ce qui nous amène à conclure que le nombre manquant est 13.

Pour terminer la série d'exercices de cette section, nous vous proposons quelques problèmes basés sur les nombres de Fibonacci.

Cherchez le rapport existant entre les nombres de la série.

Exercice no 16

(a)	1	3	4	7	11	?
(b)	0	4	4	8	12	?
(c)	1	2	2	4	8	?
(d)	1	3	4	8	15	?
(e)	2	3	6	9	54	?

La plupart des problèmes numériques utilisés dans les tests de QI peuvent être classés en quatre catégories:

1. Séries numériques basées sur une addition

On les reconnaît à la façon dont elles progressent, et la méthode à utiliser pour les résoudre est celle du "grand V". Dans cette catégorie, on retrouve des problèmes binaires et ternaires, tout aussi faciles à résoudre avec cette méthode.

Dans certaines séries, les nombres sont placés en ordre décroissant. Il suffit de réorganiser la série pour que la progression se fasse de la gauche vers la droite.

2. Séries numériques basées sur une multiplication

On les reconnaît à leur progression rapide. Les problèmes peuvent être à deux ou trois niveaux. Ici encore, il peut être nécessaire de réorganiser la série pour avoir une progression de la gauche vers la droite. La méthode à suivre est également celle du "grand V". Rappelez-vous que le multiplicateur n'est pas forcément le même pour toute la série.

3. Le CMA (calcul de multiplication et d'addition)

Ce sont les séries les plus complexes, et elles ne figurent que dans les tests d'intelligence les plus poussés. La méthode à suivre: celle du "grand V", qui permet d'identifier ce genre de problème faisant clairement ressortir que l'addition ne peut vous mener à la solution.

4. Les nombres de Fibonacci

Dans ces cas, la méthode du "grand V" ne conduit qu'à une répétition de la série originale, ou à une suite de nombres apparemment placés au hasard. Il faut examiner la série donnée et voir comment chaque nombre est issu de ceux qui le précèdent. Une fois cette structure mise à jour, ce type de problème ne pose pas de difficulté.

Rappelez-vous que toute série commençant par 0 ne peut être que le résultat d'une addition.

Enfin, n'oubliez pas que la meilleure solution est toujours la plus simple. Devant chaque rangée de "V", vous devez vous poser la question suivante: *Y a-t-il un nombre qui, additionné à chacun des autres, ou utilisé comme multiplicateur pourrait compléter la série et ainsi donner la solution du problème?*

Vous êtes maintenant prêt à affronter n'importe quel problème de séries numériques avec aisance et confiance. Votre cerveau est pourvu de programmes simples mais directs et fiables, qui vous donneront rapidement la solution. Si vous avez quelques doutes, reportez-vous à nos explications, et refaites les problèmes qui vous ont causé des difficultés. Vous pouvez vous exercer à inventer vos propres séries, car même si vous *connaissez* la réponse, il est toujours bon de vous exercer à appliquer la méthode du "grand V".

Réponses
Exercice no 12
(a) 9   (b) 8   (c) 17   (d) 6   (e) 32   (f) 43   (g) 78   (h) 17
(i) 11   (j) 120

Exercice no 13
(a) 23   (b) 16   (c) 25   (d) 33   (e) 34   (f) 41   (g) 30
(h) 20   (i) 15   (j) 8

Exercice no 14
(a) 33   (b) 37   (c) 45   (d) 46   (e) 20

Exercice no 15
(a) 8   (b) 18   (c) 72 (ici la structure est la suivante: un nombre est multiplié par 2, le suivant par 3, le suivant par 2, l'autre par 3 et ainsi de suite) (d) 39 [ici on ajoute alternativement 6 et 3 à la série de nombres, en suivant le même principe que pour (c)] (e) 4 (f) 21   (g) 64

[autre cas d'alternance; cette fois, on multiplie un nombre par 1, le suivant par 4 et ainsi de suite] (h) 32

Exercice no 16

(a) 18

(b) 20

(c) 32 (chaque nombre est formé en *multipliant* l'un par l'autre des deux nombres qui le précèdent)

(d) 27 (à partir du quatrième chaque nombre est formé en additionnant les *trois* nombres qui le précèdent)

(e) 63 (à partir du troisième, chaque nombre est obtenu, alternativement, en additionnant ou en multipliant les deux nombres précédents)

Section six

COMMENT MIEUX RÉUSSIR
LES TESTS ORAUX

Il est bien sûr impossible d'aborder ici tous les types de problèmes que vous pouvez rencontrer dans un test d'intelligence. Cependant, grâce à ce que vous avez appris jusqu'à présent, vous avez de très bonnes chances de résoudre la plupart des problèmes qui vous seront soumis.

Nous n'avons parlé jusqu'ici que des tests écrits. Or il arrive que vous soyez questionné par un examinateur. Nous allons voir maintenant ce que sont ces tests oraux.

La mémoire des chiffres

Dans le courant des années 50, un psychologue américain, George Miller, publia dans une revue spécialisée un article qui portait un titre intrigant: "Sept le chiffre magique, plus ou moins deux[23]." Sa recherche était basée sur les limites de la mémoire à court terme. Le Dr Miller découvrit que le chiffre sept, que les anciens considéraient comme magique, semblait également déterminer le nombre de données qu'une personne est capable de retenir. Quelques sujets arrivaient à neuf, alors que d'autres n'atteignaient que cinq — d'où le titre.

Fait intéressant, ce nombre correspondrait plutôt à des ensembles de données, qu'à des unités. Devant une rangée de lettres, présentées pêle-mêle, par exemple *s c k l u o w r c*, etc., un sujet ne peut, en un temps limité, mémoriser que sept d'entre elles. Par contre, si l'on combine les lettres en mots (par exemple, statue, camion, kangourou, Laos, utopie, or, wagon, rouge, cri), on constate que le sujet peut retenir sept *mots* ou plus, dans le même temps. Cela signifie que la mémoire accepte mieux les groupes de données que les données isolées.

Lors de tests de QI où l'examinateur, présent devant vous, vous pose les questions, celui-ci vous demandera souvent de répéter un groupe de nombres qu'il vient de vous énumérer, soit dans l'ordre, soit à l'envers.

Le psychologue commencera par énoncer trois ou quatre chiffres, à raison d'un par seconde, et vous demandera de les répéter. Il ajoutera un chiffre chaque fois, jusqu'à ce que votre mémoire soit saturée, que vous vous trompiez, ou que vous soyez tout simplement incapable de répondre. Comme nous l'avons dit, la limite se situe entre cinq et neuf, sept constitue donc une moyenne.

Grâce aux travaux de Calvin Thorpe et George Rowland des Laboratoires de Bell Telephone[24], il existe aujourd'hui une technique efficace pour améliorer votre mémoire des chiffres. C'est une méthode qui s'appuie sur le principe énoncé par le Dr Miller, selon lequel on mémorise mieux les données lorsqu'elles nous sont présentées en blocs.

Si l'on groupe des chiffres en séries de *trois*, on augmente de beaucoup la capacité de la mémoire active. Voici comment vous pouvez avoir recours à cette technique lors des tests de QI. Supposons que l'examinateur vous lise la série suivante: 2, 3, 9, 5, 7, 4, 8, 3. Au fur et à mesure qu'on vous les dit, répétez-vous les chiffres très rapidement, en faisant un temps d'arrêt après chaque groupe de trois. La série devient donc: 2-3-9 (pause) 5-7-4 (pause) 8-3.

Cette technique vous permet de répéter au moins deux fois la série dans votre tête avant de l'énoncer à haute voix.

Au cours de notre recherche, nous avons découvert que l'on améliore encore la mémorisation si l'on ponctue cette répétition "mentale" de battements du pied: tap-tap-tap (pause) tap-tap-tap (pause).

Demandez à un ami de vous dire des séries de chiffres, à raison d'un par seconde. Vous serez surpris de voir qu'en peu de temps votre mémoire se sera grandement améliorée. N'oubliez pas de vous exercer aussi à répéter des séries de chiffres en ordre inverse.

Lors de certains tests, vous devrez, à l'aide de blocs de couleur, soit refaire la structure que l'examinateur aura construite devant vous avec ses propres blocs, soit reproduire une illustration.

Le but de ce test est d'évaluer votre esprit d'analyse (décomposer un tout en ses diverses parties). Grâce aux exercices que vous venez de faire les problèmes de construction que nous vous soumettons ici ne vous poseront aucune difficulté.

Voici une figure type que vous pourriez avoir à reproduire avec des blocs:

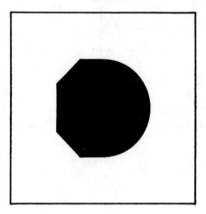

Figure 40

Le truc consiste à diviser le carré en quatre parties comme l'illustre la figure ci-dessous, en y projetant mentalement une sorte de mire en forme de croix. Avec les blocs reproduisez chaque partie une après l'autre, en les disposant de la même façon. L'important est de fixer votre attention sur les parties de la figure, et non pas sur son ensemble.

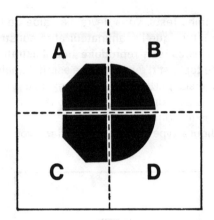

Figure 41

Pour vous exercer, découpez des carrés de carton et dessinez-y les ombres illustrées ci-dessous, puis essayez de reproduire les formes de la figure 43.

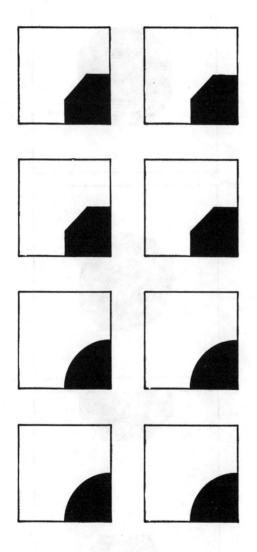

Figure 42

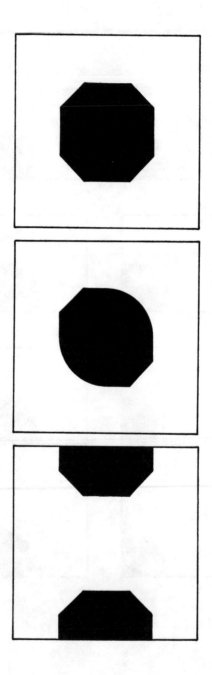

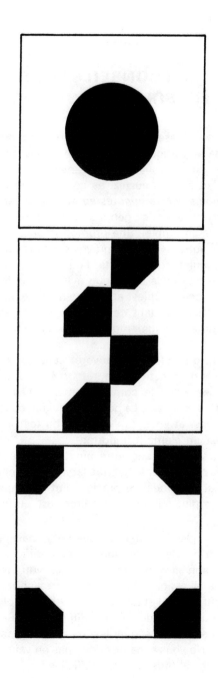

Figure 43

Section sept

SIX CONSEILS POUR
RÉUSSIR LES TESTS DE QI

Si vous devez passer un test d'intelligence prochainement, cette section vous sera particulièrement utile. Vous mettrez toutes les chances de votre côté si vous appliquez tous les programmes que nous venons de voir, et si vous suivez les conseils que voici:

1. Arrivez au moins *quinze minutes en avance*. Il est normal que vous vous sentiez nerveux avant ce genre de test, qui servira à évaluer votre compétence pour un emploi, une promotion ou toute autre sélection importante pour votre avenir. En prévoyant d'arriver en avance, vous vous évitez les inquiétudes d'un retard dû à la circulation automobiles, ou à la difficulté que vous aurez eue à trouver le local de l'examen. Évitez donc ces tracas inutiles, et prenez quelques minutes pour vous détendre. Les recherches dans ce domaine ont clairement montré que ces instants de détente augmentent de façon importante le rendement intellectuel.

Au moment du test, vous trouverez sans doute sur votre bureau deux feuilles, celle du questionnaire, retournée pour que vous ne voyiez pas les problèmes avant le commencement officiel de l'examen, et une feuille pour les réponses. La personne qui fait passer l'examen vous lira les instructions, et vous dira la durée du test. Notez-la immédiatement, car c'est un élément important.

Placez votre montre sur votre pupitre, à côté du questionnaire, de façon à pouvoir la consulter facilement. Un chronomètre serait l'instrument idéal pour mesurer précisément le temps qu'il vous reste. Nous vous dirons plus loin comment tirer parti au maximum de cette information.

2. Répondez aux questions méthodiquement, mais ne passez pas trop de temps sur un problème qui vous semble difficile. Le cas échéant, passez à la question suivante, en cochant sur votre feuille de réponses le numéro de la question, pour pouvoir y revenir plus tard. Les recherches d'Arthur Frankel et de Melvin Snyder du College Dartmouth[25] ont démontré que s'attarder à une difficulté réduit les chances de résoudre les questions subséquentes, même si celles-ci ne présentent pas de difficulté. Ne vous acharnez donc pas en vain. Nous vous dirons plus loin comment aborder les cas difficiles.

3. Tout en résolvant les problèmes, formulez votre raisonnement mentalement. Les études du Dr M. Schadler et du Dr James Pellegrino de l'Université de Pittsburgh[26] ont démontré que cette méthode aide le cerveau à fonctionner plus efficacement. En formulant mentalement les objectifs du problème et la façon dont vous comptez le résoudre, vous augmentez considérablement vos chances de succès. Nous avons également constaté que cela renforce la concentration et permet une approche plus systématique des problèmes.

4. Dans les questions à choix multiple, soyez particulièrement prudents en ce qui concerne les solutions proposées en troisième et en cinquième position.

Merle Ace et Rene Dawis de l'Université du Minnesota[27] ont remarqué que le plus haut taux d'erreurs correspond aux problèmes dont la solution est placée en cinquième position, indépendamment de la difficulté de la question. Le second plus haut taux d'erreurs correspond à ceux dont la solution est placée en troisième position.

Exemple:

FIN est à RUGUEUX ce que ABONDANT est à   ?

(a) DOUX   (b) MINCE   (c) MERVEILLEUX   (d) ÉCORCE

(e) PAUVRE

Les sujets commettent plus d'erreurs lorsque la solution se trouve en position (e) ou (c). Même si ce phénomène reste difficile à expliquer, on peut assumer que le sujet perd sa concentration après avoir fait plusieurs comparaisons.

Pour éviter cet écueil, intervertissez l'ordre des solutions proposées; ne commencez pas toujours par la première. Pour tel problème commencez par la dernière; pour le suivant, par la troisième; et ainsi de suite.

5. Le temps. Ne vous inquiétez pas si vous n'arrivez pas à faire le test en entier, car la plupart des tests sont conçus pour que vous ne *puissiez pas* les terminer dans le temps alloué.

Profitez au maximum de votre temps d'examen en changeant de stratégie *cinq minutes* avant la fin. Reprenez les questions que vous n'avez pas pu résoudre. Vous êtes alors plus à l'aise avec tous les genres de problèmes, et le fait d'avoir trouvé la solution à des questions plus simples vous permet d'aborder les difficultés avec une plus grande confiance en vous.

6. Enfin, nous vous conseillons de vous exercer avec un ami, ou avec une autre personne qui elle aussi doit passer un test de QI. Inventer des questions et les résoudre à deux constitue un précieux entraînement.

SECOND TEST DE QI

Nous voici arrivés à la fin de la deuxième étape de notre cours. Il est temps de mettre en pratique tout ce que vous venez d'apprendre en faisant un second test de QI, qui présente le même degré de difficulté que le premier.

Résistez à la tentation de passer ce test sans avoir d'abord fait tous les exercices. Assurez-vous que vous avez bien compris les programmes concernant les problèmes d'ordre spatial, les problèmes numériques ou ceux qui ont trait aux mots.

Comme dans le cas du premier test, accordez-vous trente minutes.

Ne faites pas ce test si vous n'avez pas fait tous les exercices préliminaires.

SECOND TEST DE QI — PRENEZ NOTE DE L'HEURE ET ARRÊTEZ-VOUS EXACTEMENT APRÈS TRENTE MINUTES

1.

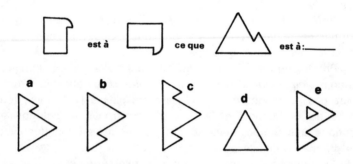

2. VÉRITÉ est à MENSONGE ce que GRAND est à :_____
   a. grandir   b. petit   c. fausseté   d. voir   e. plus grand

3. 6, 11, 16,_____, 26

4.

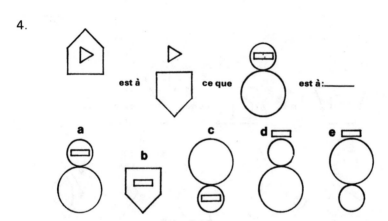

5. AUTORISER est à PERMETTRE ce que CRÉER est à :_____
   a. inventer   b. détruire   c. licencier   d. défaire   e. réprimer

6. 8,_____, 20, 26, 32

7.

8. ENCRE est à IMPRIMERIE ce que TÉLÉPHONE est à:_____
   a. fil électrique   b. communication   c. récepteur   d. livrer
   e. noir

9. 3,6,_____, 24, 48

10.

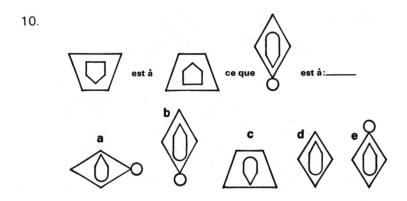

11. PRÉPARATION est à FONDEMENT ce que ÉVASION est à:_____
   a. emprisonnement   b. libération   c. intention   d. répétition   e. fugitif

12. _____, 6, 18, 54, 162

13.

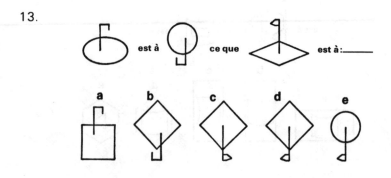

14. GÉANT est à NAIN ce que LAC est à:_____
    a. bateau   b. flaque d'eau   c. pluie
    d. liquide   e. grandir

15. 5, 6, 8, 11, _____, 20

16.

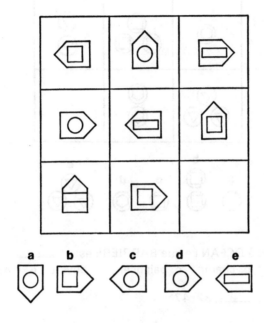

17. PAPIER est à APPLAUDIR ce que CARDINAL est à:_____
    a. lama   b. église   c. rencontrer   d. camarade   e. intelligent

18. 1, 3, 7, 13, _____, 31

19.

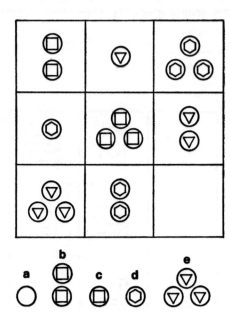

20. PORT est à OCÉAN ce que BARRIÈRE est à:_____
    a. gond   b. champ   c. balancer   d. ouvert   e. navire

21. 2, 5, 11, _____, 32, 47

22. Compléter la série.

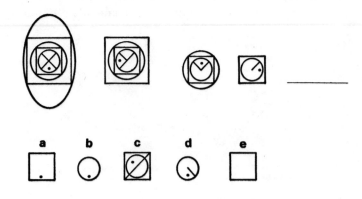

23. COMPLET est à INACHEVÉ ce que CERTAIN est à:_____
    a. sûr   b. incomplet   c. vrai   d. possible   e. prévu

24. 5, 7, 10, 15, _____, 35

25.

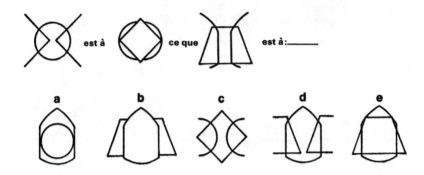

26. STOCK est à INVESTISSEMENT ce que COLÈRE est à:_____
    a. émotion   b. calme   c. sincère   d. pitié   e. continuer

27. 0, 4, 10, 20, _____, 50

28.

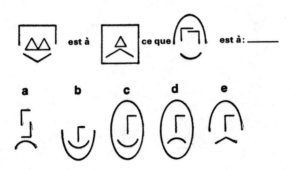

29. Trouver le mot qui n'appartient pas à la série.
    a. mûr   b. digéré   c. avancé   d. laborieux   e. travaillé
30. 0, 1, 4, 11, 26, _____

31.

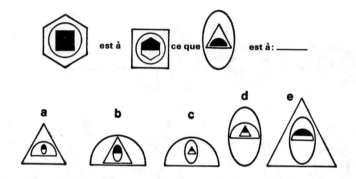

32. Trouver le mot qui n'appartient pas à la série.
    a. plateau   b. enveloppe   c. cadre   d. panier   e. seau
33. 1, 4, 5, 9, 14, _____

34.

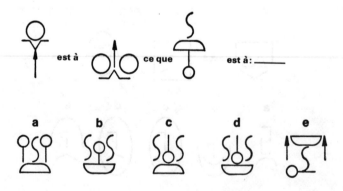

146

35. PARDON est à CARNET ce que PICAGE est à : _____
    a. astral   b. imbibé   c. scribe   d. lundi   e. patate
36. _____, 7, 9, 16, 25, 41

Réponses

Problème numéro	Réponse	Problème numéro	Réponse	Problème numéro	Réponse
1	b	13	c	25	b
2	b	14	b	26	a
3	21	15	15	27	36
4	e	16	c	28	d
5	a	17	a	29	d
6	14	18	21	30	57
7	b	19	c	31	b
8	b	20	b	32	c
9	12	21	20	33	23
10	e	22	b	34	d
11	b	23	d	35	e
12	2	24	23	36	2

Calculez votre résultat et reportez-vous au tableau des équivalences donné à la suite du premier test. Soustrayez votre résultat précédent de celui que vous venez d'obtenir, pour évaluer les progrès que vous avez faits.

Si vous avez bien compris les programmes que nous vous avons proposés, et si vous les avez appliqués rigoureusement lors de ce test, votre résultat devrait être meilleur que le premier. Vous avez là une évaluation objective de vos progrès. Votre cerveau fonctionne plus efficacement, et ce non seulement en ce qui concerne des tests de QI, mais aussi en ce qui a trait à toutes sortes de problèmes. De plus, vous avez maintenant une plus grande confiance dans vos capacités intellectuelles.

La même approche logique et précise vous permettra, dans les chapitres qui suivent, de maîtriser les grands défis intellectuels que posent l'apprentissage, la résolution des problèmes et la prise de décision.

À l'instar de la plupart des psychologues, nous estimons qu'il s'agit là des composantes majeures de l'intelligence. Plus vous vous montrez efficace à relever ces défis, plus votre quotient intellectuel augmente. À mesure que vous acquérez de nouveaux programmes et que vous les mettez en pratique, votre intelligence se renforce. Il est important de bien comprendre que ce cours n'a pas pour but de vous fournir une liste de stratégies, ou de trucs astucieux, mais de vous apprendre à maîtriser le plus efficacement possible des principes de raisonnement et d'intelligence.

Troisième étape

Mieux apprendre

La troisième étape de notre cours a pour but de vous préparer à mieux apprendre en vous fournissant des programmes adéquats, quel que soit le type d'études que vous suiviez. Mais d'abord il faut que vous preniez conscience des deux facteurs clés qui soustendent un raisonnement efficace. Le premier est ce que nous appellerons votre style d'apprentissage, c'est-à-dire la façon qui vous est la plus familière d'apprendre. Un questionnaire spécialement conçu à cet effet vous permettra de mieux vous connaître. Nous vous suggérons ensuite les techniques les mieux adaptées à votre style d'apprentissage. Le second facteur dont dépend votre succès consiste en l'organisation des données. On sait que la façon de classer la matière fait toute la différence entre le bon et le mauvais élève.

Il n'est pas nécessaire de *mémoriser* les techniques décrites dans ce chapitre. D'ailleurs, nous vous le déconseillons; cela risquerait de vous embrouiller inutilement. La meilleure façon d'assimiler l'information est de lire ce qui suit calmement, d'identifier votre mode d'apprentissage, puis de noter comment ce dernier détermine l'organisation des données à apprendre. La prochaine fois que vous devrez apprendre quelque chose, reportez-vous à cette partie du cours, et suivez les techniques indiquées. Vous vous apercevrez que vous assimilez plus vite (amélioration de 50% dans certains cas) et que votre mémoire est beaucoup plus précise. En fait, dans plusieurs cas, ce degré de précision peut avoir été amélioré de 100%, aussi incroyable que cela puisse paraître.

LES SECRETS D'UN APPRENTISSAGE RÉUSSI

Dans *l'Éducation sentimentale*, Gustave Flaubert écrivait: "Tout s'apprend, parler comme mourir[28]." Le grand romancier exprimait une vérité profonde, et toutefois rarement reconnue, concernant le comportement humain. En effet, si l'on fait exception de quelques réflexes innés, *nous sommes ce que nous apprenons*. En d'autres termes, tout ce que nous pensons, ressentons, tentons et réalisons, tout ce que nous désirons ou évitons est le résultat de l'apprentissage.

Cependant, la plupart des gens ont une notion scolaire de l'apprentissage, ou se réfèrent à l'expérience pratique d'un travail quotidien. On a souvent cru que la capacité d'apprentissage reflétait chez un individu son degré d'intelligence. Le bon sens voulait, et de nombreux psychologues ont partagé cette opinion, que plus on est intelligent, plus on apprend vite, et mieux on se souvient. Ce n'est que récemment que des chercheurs entreprirent une analyse approfondie du sujet dans le domaine de l'éducation. On s'aperçut alors que cette assertion apparemment logique était en fait dénuée de fondement.

On sait aujourd'hui que la faculté d'apprendre n'est pas une aptitude mentale innée ou figée, en rapport avec le degré d'intelligence, mais bien une série d'aptitudes qui doivent être maîtrisées et exercées si l'on veut faire des apprentissages efficaces. En d'autres termes, *nous devons apprendre à apprendre*.

Si l'on se penche sur les méthodes hasardeuses employées dans les écoles, il n'est pas surprenant que si peu d'élèves réussissent. On n'enseigne jamais à l'élève une façon systématique d'apprendre. Il doit se servir de son expérience, observer les autres, apprendre ses leçons par coeur, et tirer les conclusions de ses erreurs. De telles méthodes sont non seulement totalement inefficaces, mais aussi très préjudiciables. L'enfant, qui, victime d'un mauvais enseignement, fait continuellement des erreurs pour lesquelles ensuite on le punit, devient tout naturellement anxieux dès qu'il est question d'apprendre, et développe des attitudes négatives face à tout effort intellectuel. Certains parviennent à passer leurs examens, et à satisfaire leurs ambitions professionnelles, mais il est très probable qu'ils n'utilisent pas leur potentiel aussi efficacement qu'ils le pourraient.

Si vous avez échoué dans le passé, ne vous dites pas: "Je ne suis pas doué pour l'étude." Il n'est pas question ici de "don", mais de méthode. Grâce aux techniques que nous allons vous montrer, vous pourrez doubler, voire tripler vos capacités. Dans ce livre, nous avons, pour la première fois, réuni toutes ces techniques pour en faire un programme d'exercices qui vous permettra d'apprendre à apprendre le plus efficacement possible.

ÉVALUATION DE VOTRE STYLE D'APPRENTISSAGE

Commençons par définir votre façon d'apprendre. Chacun de nous a sa façon bien à lui, déterminante bien entendu lorsqu'il s'agit d'organiser les méthodes d'apprentissage. Répondez au questionnaire ci-dessous en choisissant simplement la phrase qui correspond le mieux à votre approche:

1. Lorsque vous étudiez un sujet qui ne vous est pas familier:
   a. Préférez-vous rassembler des informations touchant plusieurs thèmes?
   b. Préférez-vous vous concentrer sur un thème principal?
2. Préférez-vous:
   a. Avoir une culture générale?
   b. Être un expert dans un seul domaine?
3. Lorsque vous vous servez d'un manuel:
   a. Sautez-vous des pages pour lire des chapitres qui vous intéressent plus particulièrement?
   b. Lisez-vous systématiquement un chapitre après l'autre, en ne poursuivant que si vous avez compris ce qui précède?
4. Lorsque vous vous renseignez sur un sujet qui vous intéresse:
   a. Avez-vous tendance à poser des questions d'ordre général, qui vous donneront des réponses générales elles aussi?
   b. Avez-vous tendance à poser des questions précises qui vous donneront des réponses précises?
5. Lorsque vous flânez dans une librairie, ou à la bibliothèque:
   a. Allez-vous d'un rayon à l'autre pour consulter des livres très différents?
   b. Restez-vous plus ou moins à la même place, regardant des livres traitant de quelques sujets seulement?
6. Votre mémoire est-elle meilleure lorsqu'il s'agit de:
   a. Principes généraux?
   b. Faits précis?

7. Lorsque vous faites un travail:
   a. Aimez-vous vous référer à une information générale, indirectement reliée à votre travail?
   b. Préférez-vous vous concentrer exclusivement sur des données directement reliées à votre travail?
8. Pensez-vous que les éducateurs devraient:
   a. Transmettre une vue d'ensemble sur un grand nombre de sujets?
   b. Insister pour que les étudiants acquièrent surtout une connaissance approfondie des sujets reliés à leur spécialité?
9. Lorsque vous allez en vacances:
   a. Préférez-vous passer quelques jours dans plusieurs endroits?
   b. Rester au même endroit pour le connaître à fond?
10. Lorsque vous apprenez quelque chose:
    a. Avez-vous tendance à suivre des principes généraux?
    b. Avez-vous tendance à élaborer un plan d'action précis?
11. Estimez-vous qu'en plus de sa spécialisation, un ingénieur devrait avoir des notions de: mathématiques, art, physique, littérature, psychologie, politique, langues, biologie, histoire, médecine? Si vous avez choisi *quatre sujets ou plus* votre réponse est un "a". Faites le total des "a" et des "b".

Ce que révèle ce test

Les onze questions ci-dessus ont été faites à partir des recherches de Gordon Pask[29], un des chercheurs en informatique et en éducation les plus éminents d'Angleterre, qui chercha à adapter les techniques d'enseignement à l'apprentissage individuel. On donna à exécuter à des volontaires une série de travaux particuliers, et on nota soigneusement leurs résultats. Après analyse, le Professeur Pask constata que la majorité des sujets avait privilégié une ou l'autre de deux approches fort différentes.

Si vous obtenez six "a" ou plus, vous appartenez à la catégorie des *étapistes;* si vous obtenez six "b" ou plus, vous êtes un *associateur.* Plus votre total de "a" ou de "b" est élevé, mieux vous vous reconnaîtrez dans la description ci-dessous.

Les associateurs

Vous avez une vue large de tous les sujets que vous étudiez. Vous préférez rechercher les principes généraux plutôt que les petits détails, et vous savez relier un sujet à une foule d'autres domaines. Vous faites rapidement des associations entre les choses et les idées.

Les associateurs sont plus à l'aise dans une structure souple que dans une structure rigide. Capables de rassembler un grand nombre de données, ils sont plus à l'aise que les étapistes dans une approche globale.

Toutefois, comme le souligne le Professeur Pask, l'enseignement courant — à quelque niveau que ce soit — n'est pas présenté de cette façon. Les plans de cours, les manuels, ainsi que les schèmes d'apprentissage sont généralement conçus d'une manière systématique qui donne l'avantage aux étapistes. Les associateurs préfèrent commencer par les principes généraux pour ensuite passer aux détails.

Les étapistes

Vous préférez une approche méthodique, et êtes, à bien des points de vue, le contraire même de l'associateur. Vous maîtrisez très bien les détails, puis passez aux concepts plus généraux.

L'étapiste aura tout intérêt à se fixer une série de buts bien définis qui lui permettront d'accumuler des connaissances graduellement. Il ne prendra en considération que les faits en rapport direct avec le sujet à étudier, et laissera de côté — du moins temporairement — les autres informations, même si elles sont intéressantes. Les étapistes réussissent généralement bien aux examens de niveau collégial, parce que la nature très structurée de la plupart des études académiques favorise leur style d'apprentissage.

Plus vous aurez obtenu de ''a'' ou de ''b'' plus vous devrez vous conformer à la méthode adaptée à votre style d'apprentissage.

Section un

MÉTHODE D'APPRENTISSAGE
RECOMMANDÉE AUX ASSOCIATEURS

Les travaux du Professeur Pask ont révélé que vous devez commencer par étudier les concepts généraux, bien comprendre les lignes directrices, et aborder les détails en dernier.

Dans votre cas, le mieux à faire est de plonger au coeur du sujet, sans passer trop de temps à la préparation. Avant d'entreprendre une étude, il vous suffira de dresser un plan assez simple qui vous permettra d'explorer de façon exhaustive les grandes lignes de votre sujet.

Voici, par exemple, comment un associateur devrait aborder l'étude de la photographie. Nous avons choisi ce domaine parce qu'il intéresse à la fois les hommes et les femmes, et parce qu'il fait appel aussi bien à des concepts techniques qu'à des concepts de création.

Commencez par vous documenter en lisant des livres, des articles de magazines qui traitent non seulement des aspects techniques — fonctionnement de l'appareil, formation de l'image sur le film — mais aussi des applications pratiques dans le domaine du journalisme, de la mode et de l'industrie.

Cette approche, loin d'être confuse, vous fera faire des progrès rapides grâce aux liens que vous créerez entre les différents aspects du sujet. C'est ce qu'on appelle l'*immersion totale;* et votre plan d'action pourrait ressembler au tableau de la page suivante:

Si vous voulez comparer cette approche à celle recommandée pour les étapistes, reportez-vous à la figure 47.

Comme l'indique ce tableau, l'immersion totale donne lieu à un chevauchement intense dans la façon d'aborder les sujets, plusieurs aspects de la photographie étant étudiés en même temps. Mais étant donné votre capacité de faire d'innombrables associations, cette méthode s'avère la plus rapide et la plus efficace.

Toutefois, soyez vigilant: les associateurs ont tendance à négliger les détails. Veillez donc à ne pas laisser de côté certaines informations essentielles.

Lorsqu'on oriente soi-même son apprentissage, il est généralement facile d'organiser la matière de la façon indiquée ici. Il n'en va pas toujours de même lorsque vous devez vous soumettre à une structure imposée par un professeur. Si, par exemple, vos cours insistent sur les détails, vous devrez essayer d'en dégager les principes généraux, et de faire les liens nécessaires.

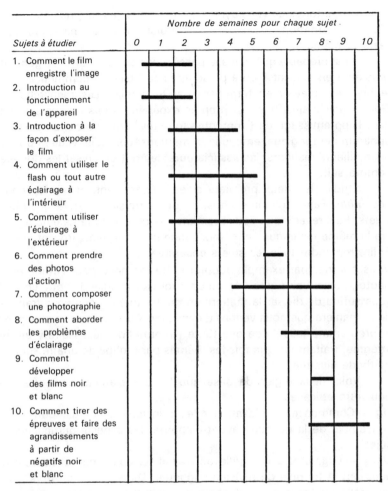

Sujets à étudier	Nombre de semaines pour chaque sujet										
	0	1	2	3	4	5	6	7	8	9	10
1. Comment le film enregistre l'image											
2. Introduction au fonctionnement de l'appareil											
3. Introduction à la façon d'exposer le film											
4. Comment utiliser le flash ou tout autre éclairage à l'intérieur											
5. Comment utiliser l'éclairage à l'extérieur											
6. Comment prendre des photos d'action											
7. Comment composer une photographie											
8. Comment aborder les problèmes d'éclairage											
9. Comment développer des films noir et blanc											
10. Comment tirer des épreuves et faire des agrandissements à partir de négatifs noir et blanc											

Figure 44

Organisation de la matière en fonction de votre mode d'apprentissage

Comme nous l'avons vu, les associateurs apprennent mieux lorsqu'ils peuvent faire des liens entre les données recueillies. Sachant cela, il nous sera facile d'organiser un programme d'apprentissage offrant un maximum d'efficacité.

Admettons que vous ayez à aborder un sujet qui présente quatre blocs d'information — ce nombre peut bien sûr varier, mais l'approche reste la même.

Il est probable que, dans le passé, vous auriez abordé ce genre de problème en suivant l'ordre prescrit, c'est-à-dire en commençant par le premier sujet et en terminant par le dernier. Les recherches de Gordon Pask, ainsi que nos propres expériences lors de nos sessions sur "l'apprentissage de l'apprentissage" révèlent que cette approche, apparemment logique, empêche la mémorisation. S'ils veulent obtenir les meilleurs résultats, les associateurs devront organiser les données comme suit:

Étudier les deux premiers sujets séparément, et les reprendre *ensemble*. Faire la même chose pour le troisième et le quatrième sujets. Puis revenir aux deux premiers, les repasser mentalement. Suivre la même technique de mémorisation pour les sujets trois et quatre. Enfin, reprendre tous les sujets ensemble.

Vous pourriez par exemple adopter cette méthode pour l'étude de la photographie (voir figure 44), ou pour tout autre sujet de votre choix. Il vous suffira de diviser la matière en quatre thèmes que vous traiterez de la manière que nous venons d'expliquer. Au besoin, vous allongerez le programme jusqu'à ce que toute l'information nécessaire y ait été intégrée, traitant chaque fois les thèmes par groupe de quatre selon la méthode illustrée.

Voici deux règles de base que les associateurs doivent suivre pour être efficaces:

Un — Commencez par examiner les principes généraux. Considérez l'ensemble de la question avant d'aborder les aspects particuliers du sujet.

Deux — Organisez votre grille de travail tel qu'indiqué ci-dessus, en adoptant la formule de révision suggérée. Dans la section trois, nous décrirons quelques autres techniques faciles à appliquer.

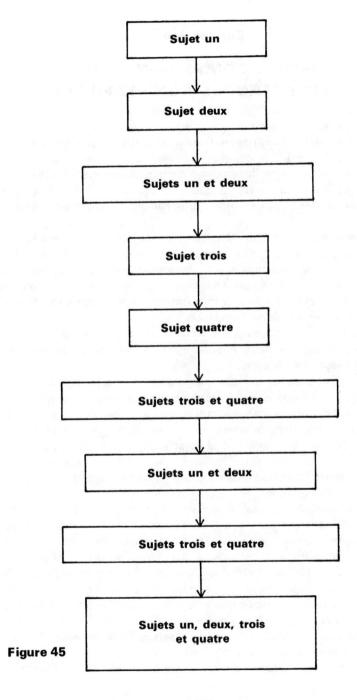

Figure 45

MÉTHODE D'APPRENTISSAGE RECOMMANDÉE AUX ÉTAPISTES

Votre approche méthodique et systématique exige qu'avant d'entreprendre votre apprentissage, vous ayez établi un plan d'action très précis, de façon à structurer la matière à apprendre, et ainsi à mieux contrôler l'ordre dans lequel chaque thème sera abordé. Nos recherches nous ont démontré que les étapistes deviennent nerveux quand ils ne savent pas comment procéder. Cette stratégie éliminera toute incertitude.

Commencez par bien détailler les sujets principaux pour vous donner une idée de l'ordre dans lequel vous devriez les mémoriser. Tout apprentissage dépend de nos expériences passées. Quand on apprend à conduire une voiture, on doit savoir comment faire démarrer le moteur, actionner les freins, la transmission et la pédale d'embrayage avant se lancer en pleine circulation.

Quand on veut apprendre à faire de la photographie, il faut d'abord acquérir certaines notions élémentaires, selon un plan qui pourrait ressembler à ceci:

Si vous comparez ce tableau (figure 46) avec celui de la figure 44, vous constaterez que les sujets ici empiètent beaucoup moins les uns sur les autres et que l'acquisition de l'information se fait étape par étape. Ce type d'approche est celui qui vous convient le mieux. Adoptez-le donc quel que soit le sujet à apprendre.

Cette organisation méthodique, dite *verticale*, contraste fortement avec l'immersion totale où le chevauchement des sujets est beaucoup plus marqué.

Commencez par maîtriser certains éléments particuliers, puis passez aux concepts généraux. Dans l'étude de la photographie, il faut acquérir une compréhension claire des questions techniques; par exemple, le fonctionnement de chaque partie de l'appareil, l'effet de la lumière sur le film pour créer l'image, etc. Une fois la technique de base bien comprise, passez aux applications de la photographie dans les domaines du sport, de l'édition, de la mode, ou du portrait, pour n'en citer que quelques-uns. Préparez un plan d'étude répertoriant les sujets clés à étudier, et indiquant la durée réservée à chaque sujet. Si vous suivez un cours dans une école, demandez un plan détaillé du programme qui vous dira à l'avance quels sujets seront abordés, et à

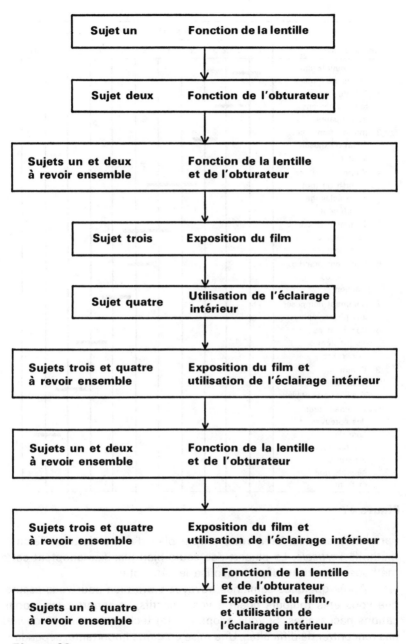

Figure 46

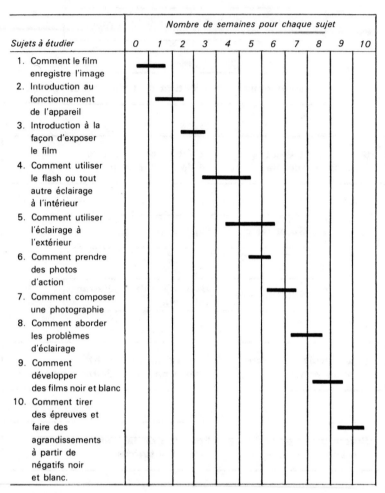

Sujets à étudier	Nombre de semaines pour chaque sujet										
	0	1	2	3	4	5	6	7	8	9	10
1. Comment le film enregistre l'image	━━										
2. Introduction au fonctionnement de l'appareil		━━									
3. Introduction à la façon d'exposer le film			━━								
4. Comment utiliser le flash ou tout autre éclairage à l'intérieur				━━							
5. Comment utiliser l'éclairage à l'extérieur					━━						
6. Comment prendre des photos d'action						━					
7. Comment composer une photographie							━━				
8. Comment aborder les problèmes d'éclairage								━━			
9. Comment développer des films noir et blanc									━━		
10. Comment tirer des épreuves et faire des agrandissements à partir de négatifs noir et blanc.										━━	

Figure 47

partir duquel vous ferez votre propre plan d'apprentissage. Selon la méthode *verticale*. La plupart des cours bien planifiés adoptent cette méthode, ce qui au départ favorise les étapistes.

Après quelques semaines, revoyez votre plan pour vous assurer que vous êtes toujours fidèle à vos objectifs, et apportez les modifications nécessaires. Si vous adoptez cette technique, vous ne devriez pas rencontrer de difficultés. Une mise en garde importante, cependant: bien que votre style d'apprentissage comporte de nombreux avantages, vous avez parfois tendance à négliger certains concepts essentiels. Pour éviter que "l'arbre ne cache la forêt", notez sur votre plan de travail, les principes généraux ou les idées essentielles à étudier en fin d'apprentissage, une fois que vous aurez accumulé suffisamment de connaissances de base.

Personne n'aime commettre des erreurs d'apprentissage, et nos recherches ainsi que celles de Gordon Pask indiquent que les étapistes sont, sur ce plan, plus "fragiles" que les associateurs. Devant l'erreur, leur motivation et leur confiance en soi faiblissent, et font place à l'inquiétude. Afin de réduire les possibilités d'erreurs, il vous faudra adopter un procédé que nous appelons la *fragmentation progressive*. Vous trouverez une description plus complète de cette technique indispensable dans la prochaine section. Disons tout de suite qu'il s'agit de décomposer l'information à apprendre en composantes suffisamment petites pour être facilement comprises et rapidement mémorisées. Cela évite la confusion ainsi qu'une détérioration éventuelle de vos capacités d'apprentissage. La fragmentation progressive fournit des tremplins sûrs qui permettent de faire des progrès rapides.

Organisation de la matière en fonction de votre mode d'apprentissage

En accumulant méthodiquement des connaissances, selon la méthode que nous venons de voir, les étapistes peuvent doubler ou tripler leur efficacité. Ainsi, au lieu de passer cent heures sur un sujet pour atteindre un niveau satisfaisant, trente leur suffiront pour obtenir de meilleurs résultats. Quel que soit le sujet de votre étude, voici comment vous devriez procéder:

Étudiez d'abord les sujets un et deux séparément, puis révisez-les ensemble. Ensuite, étudiez le sujet trois, puis révisez mentalement les trois premiers. Étudiez le sujet quatre, et révisez-le ensuite mentalement avec les trois sujets précédents. Si, comme c'est généralement le cas, il y a plus de quatre sujets à étudier, traitez le cinquième de la liste comme le sujet un et répétez la même séquence. (Figure 48)

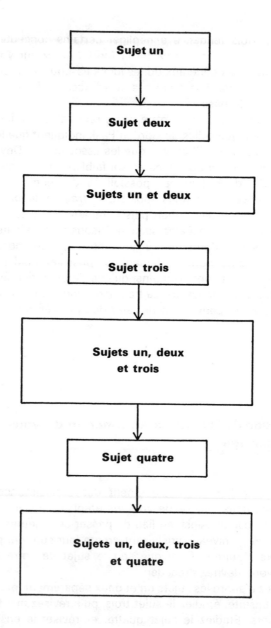

Figure 48

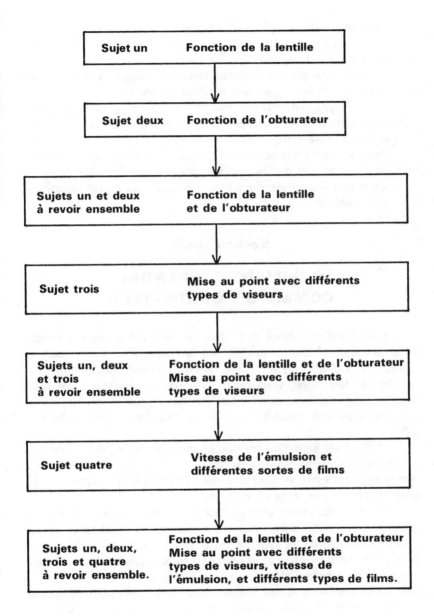

Sujet un	**Fonction de la lentille**
Sujet deux	**Fonction de l'obturateur**
Sujets un et deux à revoir ensemble	**Fonction de la lentille et de l'obturateur**
Sujet trois	**Mise au point avec différents types de viseurs**
Sujets un, deux et trois à revoir ensemble	**Fonction de la lentille et de l'obturateur Mise au point avec différents types de viseurs**
Sujet quatre	**Vitesse de l'émulsion et différentes sortes de films**
Sujets un, deux, trois et quatre à revoir ensemble.	**Fonction de la lentille et de l'obturateur Mise au point avec différents types de viseurs, vitesse de l'émulsion, et différents types de films.**

Figure 49

163

Le tableau de la figure 49 illustre comment, en suivant cette méthode, vous pourriez étudier les quatre principes fondamentaux du fonctionnement d'un appareil photo.

Donc si vous êtes un étapiste, voici deux règles essentielles que vous devez toujours suivre pour apprendre avec succès:

Un — Soyez systématique; commencez par certains détails particuliers; puis abordez les aspects plus généraux, une fois que vous avez bien compris l'essentiel.

Deux — Organisez votre plan de travail tel qu'indiqué plus haut, et suivez la méthode de révision suggérée.

Dans la section trois, nous décrirons quelques autres techniques faciles à appliquer.

Section trois

COMMENT APPRENDRE COMME UN ORDINATEUR

Vous est-il déjà arrivé de trouver une réponse en cessant de vous poser la question? C'est le cas de bien des gens. Vous avez vainement cherché à résoudre un problème, à vous souvenir d'un nom, d'un numéro de téléphone, vous ne trouvez pas la réponse à vos mots croisés. Vous abandonnez, et après quelque temps, la réponse surgit. Autrement dit, vous réussissez au moment où vous cessez de faire un effort.

Vous venez alors de faire l'expérience de l'extraordinaire pouvoir du *réseau de connaissances* de votre cerveau, ce système mental incroyablement vaste et complexe, qui relie les unes aux autres chaque information retenue dans la mémoire.

Pendant que vous êtes occupé à d'autres activités mentales, votre esprit continue à chercher la réponse qui vous échappe, en parcourant sans relâche les sentiers de ce réseau. Cette recherche peut se faire en même temps que vous relevez d'autres défis intellectuels, mais votre esprit travaillera plus rapidement pendant que vous dormirez ou lorsque les pressions seront moins fortes. Ainsi, il est vrai que "dormir sur un problème" signifie souvent se réveiller avec la solution.

Vous avez sans doute déjà constaté que les idées qui viennent à l'esprit juste avant la solution sont d'une certaine façon reliées à cette dernière. Cela s'explique par le fait que le cerveau, sur le point

164

de terminer son trajet, a émis des informations associées à la réponse finale.

Les psychologues ont recours au réseau de connaissances du cerveau lorsqu'ils utilisent la méthode dite de libre association, pour aider des patients à retrouver des souvenirs oubliés. Cette méthode est également très utile pour l'apprentissage, et nous en parlerons plus en détail dans la section suivante.

Si vous voulez faire une petite expérience pour voir comment la libre association vous permet d'explorer votre réseau de connaissances, pensez à un objet familier: voiture, table, bureau, téléviseur, etc. Laissez votre esprit faire des associations sans le diriger. Arrêtez après quinze associations. Vous verrez qu'il y a peu de rapport entre l'objet de départ et la quinzième idée, pourtant votre cerveau a établi ces relations en suivant son propre cheminement.

Dans une série d'expériences, le Dr Allen Collins et le Dr Ross Quillian de l'Université de Californie[30] ont étudié le temps de réaction des sujets à qui on demandait de préciser si tel énoncé était vrai ou faux. Ils ont trouvé que la rapidité des réponses était proportionnelle au degré d'association entre les concepts. Plus les idées étaient proches les unes des autres, plus la réponse venait rapidement, et inversement. Ainsi, l'énoncé "Un canari est jaune" provoqua une réponse instantanée; tandis que "Un canari est un animal" provoqua une réponse plus lente.

On comprendra pourquoi en consultant le diagramme ci-après. Un trajet, quel qu'il soit, est toujours plus rapide et plus sûr lorsque la distance à parcourir est courte. Si la distance augmente, la durée et les risques d'erreurs augmentent aussi.

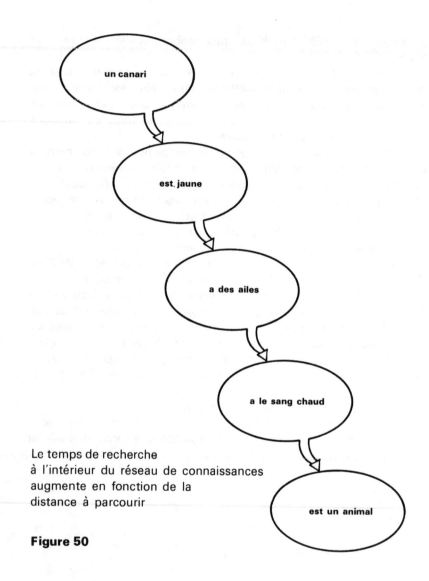

Le temps de recherche
à l'intérieur du réseau de connaissances
augmente en fonction de la
distance à parcourir

Figure 50

Au début de ce chapitre, nous avons expliqué comment un apprentissage désorganisé et fait au hasard a des effets négatifs sur le stockage, la mémorisation et la compréhension de l'information. C'est ce qu'illustrent les figures 51 et 52.

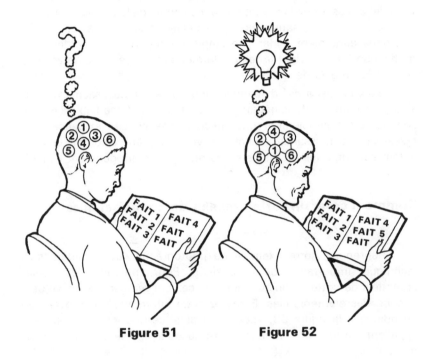

Figure 51   **Figure 52**

Voilà, illustré de façon simplifiée, ce qui se produit lorsque les liens sont indirects, donc inadéquats. Les connections sont obscures et hasardeuses; un peu comme si pour aller de New York à Washington, on devait passer par Dallas, Los Angeles et Salt Lake City.

Pour se rappeler une donnée de façon rapide et précise, le cerveau doit suivre les plus courts chemins du réseau. Cela ne sera possible que si les relations entre les données ont été établies de manière adéquate *lors de l'apprentissage.*

Nous avons, à partir de nos propres recherches et de celles d'autres psychologues, mis au point une méthode de construction et d'utilisation des réseaux de connaissances, basée sur des techniques informatiques de structuration des données. Cette méthode permet de combiner une entrée et un rappel rapides de l'information, grâce à cette merveille caractéristique de l'esprit humain, le raisonnement intuitif.

Apprendre comme un ordinateur ne veut pas dire apprendre mécaniquement, sans plaisir et sans spontanéité. Bien au contraire. En vous débarrassant de la monotonie et de l'ennui de la routine, vous connaîtrez une grande satisfaction personnelle à apprendre. La plupart des gens aimeraient parler une langue étrangère mais perdent leur motivation lorsque vient le temps de mémoriser des listes de vocabulaire et les règles de grammaire.

S'il vous est arrivé d'abandonner ainsi des études, sachez qu'il ne s'agit pas d'une attitude négative de votre part, ni d'une faiblesse quelconque. C'est simplement une méconnaissance des exigences des réseaux de connaissances de votre cerveau. Apprendre comme un ordinateur supprime les pressions et les restrictions qui génèrent l'ennui.

Comment créer un parfait réseau de connaissances

Reprenons notre exemple de photographie, et considérons la technique, importante, de l'exposition. Pour apprendre les détails essentiels de cette technique, commencez par rédiger une brève description des éléments clés. Entourez cette information d'un ovale, tel qu'indiqué à la figure 53; vous créez ainsi ce que les informaticiens appellent un *noeud*. Procédez ainsi jusqu'à épuisement de l'information.

Choisissez ensuite un noeud qui semble être le point de départ logique de votre réseau (celui-ci doit renfermer des données fondamentales); puis choisissez un deuxième noeud qui puisse être relié de façon logique au précédent, et réunissez les deux par une ligne. Travaillez ainsi jusqu'à ce que tous les noeuds soient reliés entre eux. Terminez en reliant le premier noeud au dernier. Nous nous sommes contentés de quatre noeuds dans notre exemple, mais en pratique, il devrait y en avoir au moins quinze.

Au moment de relier les noeuds les uns aux autres, rappelez-vous qu'*il n'existe pas de réseau de connaissances incorrect*. Peu importe la façon dont ils seront reliés pourvu que celle-ci ait un sens pour vous; l'association logique que vous voyez entre les données constitue l'ordre dans lequel elles sont *le mieux représentées dans votre cerveau*. Les

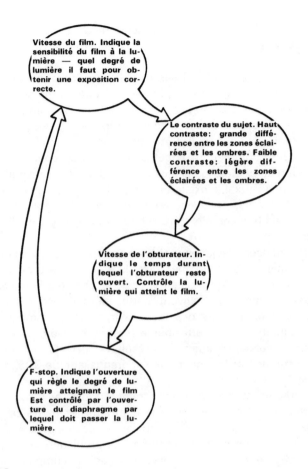

Figure 53

associations d'idées n'étant les mêmes pour personne, il n'existe pas
deux réseaux de connaissances identiques.

La fragmentation progressive
— pour vous aider à comprendre

À l'école, on est souvent obligé d'apprendre par coeur des choses
qui semblent totalement dépourvues de sens; même adulte, on s'en
remet parfois à sa mémoire pour apprendre quelque chose qu'on n'a

pas bien compris. Une telle approche rend l'étude excessivement pénible, et risque à la longue de vous décourager, et de vous faire abandonner.

Avant d'apprendre quoi que ce soit, *il est essentiel de bien comprendre de quoi il s'agit*. Cette phrase peut paraître paradoxale à ceux qui supposent que la compréhension découle de l'apprentissage. Il n'en est rien. Vous pouvez, et devez comprendre ce que vous stockez dans votre mémoire si vous voulez être efficace.

Pour bien comprendre, il faut décomposer les concepts en parties de plus en plus petites, jusqu'à ce que les doutes et la confusion aient disparu. À nos yeux, il n'existe pas de problème insoluble. Cependant, certains problèmes *peuvent sembler* extrêmement difficiles, et certains sujets très complexes. C'est que vous essayez d'aller trop loin trop vite.

Décomposez le sujet en autant de parties que vous le jugez nécessaire. Lorsque vous comprenez bien le sujet, vous êtes capable de remonter à la source du problème, et de le résoudre immédiatement.

Les informaticiens suivent cette méthode pour faire "comprendre" aux ordinateurs des idées extrêmement complexes. Nous savons maintenant que cette même méthode s'avère tout aussi efficace pour le cerveau humain. Les résultats de tests montrent qu'elle permet d'augmenter la rapidité de l'apprentissage de 30%, et sa précision de 75%.

La fragmentation progressive peut s'appliquer à tous les types d'apprentissage. Nous verrons, à la quatrième étape de ce cours, un procédé du même genre, qu'on appelle le *découpage créatif*, qui, lui, permet de résoudre plus efficacement les problèmes.

La fragmentation progressive permet de comprendre chaque composante d'un sujet. Supposons que la notion de f-stop (détaillée dans le dernier noeud de notre diagramme) vous cause des problèmes. Au lieu d'étudier ce concept d'une manière purement mécanique, décomposez-le et développez un second réseau uniquement axé sur ce sujet (figure 54).

Comme vous le voyez, cette méthode permet de clarifier le point qui faisait obstacle. On pourrait évidemment étendre le réseau, ou en créer de nouveaux si cela était nécessaire à une meilleure compréhension. On pourrait, par exemple, prendre l'idée de diaphragme (mentionné dans le second noeud) et en considérer les effets sur la profondeur de champ, sur le contrôle automatique et manuel, et ainsi de suite.

Le but de la fragmentation progressive est de poursuivre l'analyse de l'information en la décomposant en données de plus en plus petites, jusqu'à ce que chaque thème contenu dans un noeud soit entièrement compris. Entourez les données d'un ovale et reliez-les entre elles par une ligne, de façon à pouvoir passer facilement d'une idée à

Réseau relatif au concept de f-stop

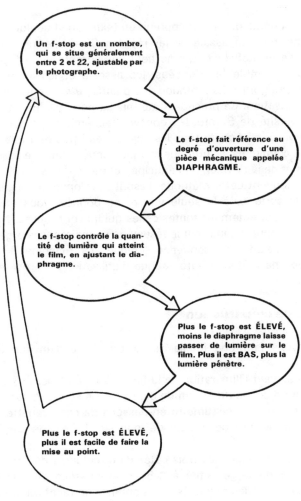

Un f-stop est un nombre, qui se situe généralement entre 2 et 22, ajustable par le photographe.

Le f-stop fait référence au degré d'ouverture d'une pièce mécanique appelée DIAPHRAGME.

Le f-stop contrôle la quantité de lumière qui atteint le film, en ajustant le diaphragme.

Plus le f-stop est ÉLEVÉ, moins le diaphragme laisse passer de lumière sur le film. Plus il est BAS, plus la lumière pénètre.

Plus le f-stop est ÉLEVÉ, plus il est facile de faire la mise au point.

Figure 54

171

une autre. Cela simplifie les associations et renforce la mémorisation. Enfin, cela vous permettra d'utiliser pour explorer votre réseau de connaissances un procédé que nous avons conçu, et baptisé la *machine à apprendre*. On peut la construire à l'aide d'une simple feuille de carton rigide. Elle vous aidera à emmagasiner de nouvelles données (répliques d'une pièce de théâtre, données techniques complexes) rapidement, facilement et sûrement.

La machine à apprendre

En général, quand on apprend un texte, on lit quelques lignes, on les cache, puis on essaie de les répéter. C'est une méthode longue, ennuyeuse et inefficace, qui ne tient pas compte de la façon dont le cerveau rassemble les données, les associe et les emmagasine en diverses catégories. La méthode dite d'*anticipation* active le processus de mémorisation. Ce procédé a été mis au point par Richard Atkinson de l'Université de Stanford[31], dont les recherches ont démontré qu'il peut servir à mémoriser tous les sujets, des listes de mots isolés aux formules chimiques. Il suffit que chaque donnée annonce la suivante, ce qui permet de la deviner, de l'anticiper, et de vérifier si on a vu juste. En utilisant souvent cette méthode, l'esprit développe des liens entre les idées, de sorte qu'à la seule vue d'une donnée, vous êtes capable d'identifier correctement toutes celles qui lui sont reliées. Nous avons vu précédemment comment le réseau de connaissances organisait l'information selon une séquence logique. La machine à apprendre constitue une méthode automatique d'utilisation du processus d'anticipation.

Détails de construction

Il vous faut une feuille de carton mince d'environ 30 cm sur 20 cm.

En suivant l'illustration de la figure 55, découpez à 5 cm du bord supérieur un cercle de 10 cm de diamètre. Ce sera la *fenêtre concept*.

À environ un centimètre en-dessous de cette fenêtre, découpez un trou de serrure de 2,5 cm de long sur 1,5 cm de large. C'est le *guide*.

Enfin, découpez les trois côtés d'un rectangle de 10 cm de long sur 2,5 cm de large, situé à 1,5 cm en-dessous du guide. En découpant le long des pointillés, vous obtenez un rabat qui reste attaché au carton du côté droit. C'est la *fenêtre indice*.

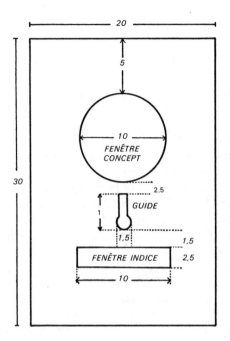

Figure 55

Dessinez une *flèche* juste au-dessous du *guide*, pointant vers le centre de l'ouverture.

Voici comment utiliser la machine à apprendre conjointement avec votre réseau de connaissances.

1. Placez la *fenêtre concept* sur le premier noeud, lisez-en le contenu, et essayez de vous rappeler quel est le sujet qui suit dans le réseau. Si vous avez du mal à vous en souvenir, essayez de le deviner.

2. Tournez la carte en gardant le noeud dans l'ouverture de la fenêtre, jusqu'à ce que la ligne qui le relie au suivant apparaisse dans le guide. Si vous vous êtes souvenu de l'ensemble ou d'une grande partie des données, glissez la carte le long de la ligne — en utilisant la *flèche* comme guide — jusqu'à ce que le second noeud apparaisse dans la *fenêtre concept* et que vous puissiez vérifier si votre souvenir était exact. Essayez de vous rappeler les données contenues dans le troisième noeud, puis déplacez de nouveau la carte le long du réseau. Si vous n'arrivez pas à deviner le contenu du noeud suivant, glissez la

carte le long de la ligne jusqu'à ce que vous puissiez voir le haut de la première ligne apparaître dans le *guide*. En soulevant la *fenêtre indice*, vous verrez une partie du texte. Utilisez cette information pour exercer votre mémoire.

Si, malgré cet indice vous ne trouvez rien, faites glisser la *fenêtre concept* jusqu'au texte dont vous n'arrivez pas à vous souvenir et lisez-le.

Vous connaissez votre sujet lorsque vous vous rappelez, sans erreur, le contenu de tous les noeuds du réseau. On atteint habituellement ce niveau de mémorisation après quelques "trajets" à travers le réseau. Un minimum de quinze noeuds est nécessaire pour que cet exercice en vaille la peine. En-dessous de ce nombre, votre travail d'apprentissage serait beaucoup trop simple!

Pour utiliser de façon optimale ce procédé, gardez bien à l'esprit les points suivants:

• En rédigeant les noeuds, utilisez des abréviations, et tâchez de vous en tenir à l'essentiel. Pour vous assurer qu'il en sera ainsi voyez à ce que vos notes ne dépassent pas la dimension de la *fenêtre concept* (10 cm). Si vous avez trop de données à y insérer, votre texte sera trop long. Fragmentez-le (fragmentation progressive) pour atteindre des proportions plus commodes.

• Assurez-vous que vous comprenez parfaitement tout ce que vous apprenez. Ne laissez passer aucune ambiguïté: vous risqueriez non seulement d'avoir des difficultés de mémorisation, mais aussi d'introduire dans le réseau une erreur qui pourrait ensuite empêcher la formation d'associations efficaces. Il faut plutôt fragmenter progressivement la donnée qui n'est pas claire et créer d'autres réseaux — ou des noeuds supplémentaires.

• Rappelez-vous que vous pouvez commencer à n'importe quel point du réseau (puisque celui-ci reflète votre propre style d'apprentissage) à condition toutefois que tous les noeuds soient mémorisés correctement.

• Lorsque vous commencez à créer vos réseaux, vous trouverez peut-être plus pratique de tracer les contours des noeuds en vous servant de la *fenêtre concept* comme guide, *avant* d'écrire vos notes. Ainsi vous ne serez pas tenté de dépasser le cadre imposé. Utilisez de grandes feuilles de papier à dessin, ou du papier blanc d'emballage.

Le réseau de connaissances que vous créez extérieurement se trouve reproduit à l'intérieur du cerveau, ce qui assure une association claire et logique de toutes les données. Lorsque vous cherchez à vous rappeler un sujet et les idées qui y sont reliées, votre esprit emprunte les trajets les plus courts et les plus efficaces.

Nous avons pu constater que des personnes, auparavant incapables de mémoriser correctement des donnés, ont vu leurs résultats s'améliorer de 300%, tant au niveau de la rapidité de la mémorisation que de sa précision. Même les sujets n'éprouvant pas de difficulté à apprendre ont vu leurs résultats s'améliorer de 100%. Ils ont tous constaté que l'étude se faisait facilement, et sans ennui.

Nous vous proposons à présent une autre technique de renforcement, qui vous permettra de mieux retenir les données à mesure que le temps passe.

Section quatre

COMMENT APPRENDRE DEUX FOIS PLUS EN DEUX FOIS MOINS DE TEMPS

Si le temps peut être un grand guérisseur, il peut aussi être dévastateur en ce qui concerne la mémoire. La plupart des gens en déplorent les effets chaque fois qu'ils essaient d'apprendre quelque chose de nouveau. On oublie très vite ce que l'on a appris, même si on a fait beaucoup d'efforts. Il arrive qu'une heure plus tard, on ait déjà oublié la moitié ou le quart de ce qu'on vient d'apprendre, et que le lendemain, on ait l'impression de n'avoir rien appris du tout.

Le pourquoi et le comment de cette érosion a longtemps intrigué les psychologues. Au siècle dernier, on a commencé à investiguer le processus de mémorisation, et les recherches se sont poursuivies pour déterminer le rythme d'oubli ainsi que les conditions qui semblaient favoriser ce phénomène.

Voici un graphique illustrant le rythme auquel on oublie ce qu'on a appris:

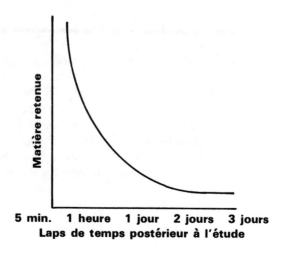

Figure 56

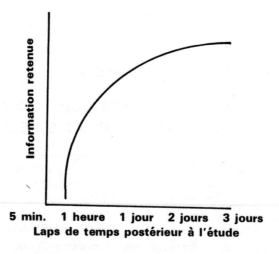

Figure 57

La courbe tombe rapidement; cinq minutes seulement après l'étude d'un sujet, on en a déjà oublié une grande partie. La mémoire décline rapidement, et une heure plus tard, les deux tiers du sujet sont oubliés. Le lendemain, le niveau d'oubli atteint les 90% et se stabilise. On n'a donc retenu que 10% de la matière étudiée.

Supposons que la courbe puisse être inversée, et que la mémoire augmente avec le temps.

D'après ce graphique, le temps renforce la mémoire; on atteint un sommet après deux jours. En d'autres termes, il s'agit d'un rapport de mémorisation inversé par rapport à la figure précédente.

C'est le Dr Matthew Erdelyi de la City University de New York[32] qui a le premier démontré qu'un tel renversement était possible, sans efforts considérables. Il a constaté que les sujets se rappelaient *deux fois plus* de données le jour suivant l'apprentissage que cinq minutes après.

On a tiré des recherches de Matthew Erdelyi des techniques pratiques qui permettent aux gens d'inverser cette courbe d'oubli.

Prenons un exemple. Vous assistez à une conférence, ou à un cours, où vous n'avez pas la possibilité de prendre des notes élaborées, qui vous seraient pourtant nécessaires ultérieurement. Voici un programme qui vous permettra d'emmagasiner l'information de manière efficace.

Retenez mentalement les points importants en vous les répétant. Comptez combien il y en a, de façon à savoir précisément ce que vous devez retenir.

Exactement *cinq minutes* après la fin de la conférence, installez-vous dans un coin tranquille, et repassez mentalement chaque point clé. Ne vous inquiétez pas si vous avez l'impression d'en avoir oublié beaucoup. Ne passez que quelques minutes à cet exercice, et ne faites aucun effort pour retrouver ce qui vous échappe. Vous pouvez cependant essayer de deviner certaines données. Répétez *une seule fois* chacun des points importants, mentalement. Si vous le pouvez, notez ces points par écrit, cela renforcera votre programme. Ne gardez pas ces notes, jetez-les immédiatement après cette courte session, car c'est le fait de les écrire qui est important ici et non de pouvoir y référer plus tard. Si vous n'avez pas le temps de prendre des notes, ne vous inquiétez pas, ce programme est conçu pour qu'une simple répétition mentale et *un seul* rappel des données soient suffisants.

Une heure plus tard, refaites une deuxième session de rappel. Procédez exactement comme pour la première, en vous détendant.

Trois heures plus tard, faites une troisième session, et une quatrième *six heures après*. Si cela est possible, faites une dernière session juste avant d'aller vous coucher. Durant les deux jours suivants, répétez le processus trois ou quatre fois en répartissant les sessions à intervalle régulier. Ensuite, tous les trois ou quatre jours, faites une session. Il est inutile d'essayer de répéter chaque donnée entièrement, quelques mots clés suffiront.

Matthew Erdelyi a observé que ses sujets retenaient l'information plus facilement lorsqu'ils pouvaient associer des images à un sujet clé. Il semble que le cerveau manie beaucoup plus efficacement les images que les mots, les nombres, ou les concepts abstraits — surtout si elles sont vivantes ou inhabituelles. Il est facile de le vérifier en formant rapidement une image de chaque sujet auquel vous pensez. Essayez de les rendre aussi originales et aussi claires que possible, cela renforcera d'autant le processus de fixation et de rappel.

Quand votre mémoire s'enraie, servez-vous de la libre association. Soyez toujours détendu, et concentrez-vous sur la *première idée* que vous associez à la *dernière donnée* dont vous vous êtes souvenu. Cette association pourra déclencher d'autres associations; après huit ou neuf de ces liens, les éléments qui vous échappaient réapparaîtront certainement.

Parce que chaque mémoire à sa façon de fonctionner nous vous conseillons d'expérimenter chacune des techniques exposées. Vérifiez l'effet qu'ont sur votre mémoire les images mentales, les associations d'idées; adaptez à votre rythme les sessions de rappel. De cette façon, les stratégies que vous adopterez conviendront parfaitement à votre type de mémoire, et vous apprendrez deux fois plus en deux fois moins de temps.

Les dangers à éviter

Les personnes ayant de la difficulté à apprendre commettent généralement deux erreurs qui leur rendent l'étude très ennuyeuse, et créent la confusion.

N'entreprenez jamais d'étudier un sujet avant d'avoir organisé la matière d'une façon qui corresponde à vos besoins et à votre style d'apprentissage. Structurer l'information est en soi très utile à la compréhension et à l'étude. Ceux qui n'ont jamais appris à apprendre perdent un temps considérable à mémoriser des données non structurées.

Enfin, ne tombez pas dans le piège qui consiste à croire qu'en lisant une liste d'éléments, puis en essayant de les mémoriser, on développera sa mémoire. En fait, les recherches ont montré que cela n'a aucun effet. Si les sujets ne sont pas reliés les uns aux autres de manière claire et cohérente, vous n'arriverez jamais à les mémoriser, quels que soient les efforts que vous fassiez. Votre cerveau ne peut accepter des méthodes aussi inefficaces!

Nous allons maintenant aborder l'apprentissage des langues étrangères.

COMMENT ACQUÉRIR
LE DON DES LANGUES

L'apprentissage des langues est à la fois un des plus simples, et des plus difficiles qui soient. On sait que les enfants qui vivent dans un milieu multilingue n'ont aucune difficulté à parler plusieurs langues. Pour les adultes, la tâche est souvent insurmontable. Nombreux sont ceux qui aimeraient apprendre une langue étrangère, pour leur travail ou leur plaisir, et qui abandonnent à l'idée de devoir faire tant d'efforts avant de pouvoir dire quelques mots. Il est vrai qu'il faut beaucoup travailler; quand on songe que pour acquérir un niveau de langue équivalent à celui d'un enfant de six ans, il faut apprendre 2500 mots.

Nous vous proposons ici des techniques qui vous aideront à développer le don des langues, grâce à un programme de mémorisation du vocabulaire rapide et efficace.

Un des plus grands polyglottes de tous les temps, le Cardinal Giuseppe Mezzofanti, conservateur de la Bibliothèque du Vatican au siècle dernier, parlait couramment cinquante langues, et conversait en une douzaine d'autres. Cet exploit remarquable s'explique, selon Richard Atkinson de l'Université Stanford[33], d'une part par des dispositions exceptionnelles, mais aussi par l'utilisation d'une méthode facile de mémorisation.

C'est ce qu'on appelle la méthode du mot clé, grâce à laquelle, toujours selon Richard Atkinson, on peut maîtriser trois fois plus vite une langue étrangère. Dans ce type d'apprentissage, on passe généralement 85% de son temps à apprendre de nouveaux mots. Or, si jusqu'à maintenant il vous fallait 150 heures pour apprendre 2500 mots, la méthode de Richard Atkinson vous permettra d'en retenir 8000 dans le même temps.

Lorsqu'on considère une langue étrangère comme un système vivant de communication plutôt que comme une liste sans fin de vocabulaire et de règles de grammaire, l'apprentissage devient rapidement plus facile, et plus gratifiant. Et le plaisir de pouvoir commander des repas, réserver des chambres d'hôtel, négocier des contrats dans une langue étrangère, ou comprendre la littérature et le cinéma d'un autre pays, accroît grandement notre désir de nous perfectionner.

Lorsqu'il commence à parler, l'enfant *utilise des mots pour se faire comprendre*. Au début, sa prononciation et ses constructions de phrases sont loin d'être parfaites, mais les adultes comprennent cependant ce qu'il veut dire; et il lui sera facile de corriger ses erreurs, soit par un enseignement dirigé, soit en écoutant son entourage.

Le secret de l'apprentissage d'une langue étrangère réside dans l'acquisition rapide du vocabulaire général, et c'est ici qu'intervient la méthode du mot clé de Richard Atkinson. Lire des listes de mots et les répéter en espérant les retenir est totalement inefficace. Par contre, avec la méthode du mot-clé il n'y a rien à apprendre par coeur; il s'agit simplement d'utiliser l'extraordinaire habileté de notre esprit à penser par images. De nombreuses études montrent que l'image est un moyen très puissant de fixer l'information. Cette technique s'applique efficacement à toute activité intellectuelle, et nous expliquerons plus loin comment l'utiliser pour solutionner les problèmes de façon créative. Voyons à présent comment les images mentales peuvent améliorer jusqu'à 300 % la rapidité et la précision avec laquelle on arrive à maîtriser des mots étrangers.

La méthode du mot clé

Voici les deux étapes à suivre:

Étape no 1

Trouvez un mot français qui a plus ou moins la même consonnance que le mot étranger à apprendre. Pour illustrer notre exemple, nous allons prendre deux mots espagnols. Mais rappelons que le système convient à toutes les langues.

Mot espagnol	Mot français de même consonnance
Perro (chien)	Perron
gato (chat)	gâteau

Étape no 2

Il s'agit maintenant de créer un lien entre le mot clé français et le sens réel du mot étranger; c'est-à-dire entre *perron* et *chien*, et entre *gato* et *gâteau*. Pour cela, construisez dans chaque cas une image mentale aussi vivante et aussi insolite que possible.

Pour le mot *perro* imaginez un énorme chien, bien installé sur la dernière marche du perron.

Pour le mot *gato* imaginez un chat qui déguste un énorme gâteau.

Ces images peuvent paraître absurdes. Mais, c'est précisément ce qu'il faut. Plus les images seront inhabituelles, plus elles se fixeront dans votre mémoire.

Au début, cette technique peut paraître farfelue, et inefficace. Mais en pratique, vous vous apercevrez que c'est la meilleure façon d'accumuler des mots de vocabulaire. D'après les recherches du Professeur Atkinson, les sujets qui utilisent cette méthode retiennent 88 % des mots qu'ils étudient, tandis que ceux qui suivent une méthode conventionnelle n'en retiennent que 28 %.

Si vous consacrez dix minutes par jour à cet exercice, vous pouvez mémoriser entre quinze et vingt mots par jour. Avec la pratique, les images mentales se formeront plus rapidement, et vous verrez qu'en six mois, vous aurez appris quelque 3300 mots, ce qui constitue un vocabulaire de base fort appréciable.

Si vous avez l'intention d'étudier une langue plus sérieusement, gardez en mémoire les points essentiels dont nous avons discuté précédemment. Organisez correctement la matière avant d'entreprendre votre étude. Appliquez les règles correspondant à votre type d'apprentissage. Si vous êtes un associateur, étudiez les principes généraux de la langue en plus des mots et des règles de grammaire. Si vous êtes un étapiste, accumulez vos connaissances lentement mais sûrement.

Quand vous appliquez la méthode du mot clé, utilisez des images concrètes; les noms qui réfèrent à des objets plutôt qu'à des concepts abstraits sont plus faciles à retenir. Créez votre réseau de connaissances, et servez-vous de la machine à apprendre pour étudier la syntaxe, la construction des phrases et le vocabulaire.

Écoutez des disques pour parfaire votre prononciation, ou mieux encore, parlez la langue avec des personnes dont c'est la langue maternelle. En apprenant le vocabulaire aussi rapidement que possible, vous pourrez tenir des conversations pratiques et intéressantes.

Si vous avez déjà été découragé par l'ampleur de la tâche que représente l'apprentissage d'une langue étrangère, la méthode du mot clé, ainsi que les autres techniques d'apprentissage que nous avons vues précédemment vous permettront de vous y remettre et, cette fois, d'obtenir rapidement et sans trop d'efforts des résultats satisfaisants.

L'apprentissage constitue une des trois principales fonctions de l'intelligence. Mais il importe aussi de savoir utiliser ce qu'on a appris, c'est-à-dire de savoir résoudre des problèmes et prendre des décisions. Au cours de la quatrième étape de notre programme, nous vous montrerons comment on peut arriver à résoudre tous les types de problèmes — des plus simples aux plus complexes — avec un minimum d'efforts et un maximum d'efficacité, en utilisant tout votre potentiel intellectuel.

Quatrième étape

Comment mieux résoudre les problèmes

"Si vous pensez que vos problèmes sont sérieux", commentait un jour un employé du gouvernement, "attendez d'avoir essayé nos solutions." Cette remarque cynique reflète assez bien l'opinion largement partagée, et souvent justifiée, que l'homme est plus habile à créer des problèmes qu'à trouver des solutions. Les erreurs coûtent du temps et de l'argent, et curieusement, on réfléchit très peu aux moyens de trouver des solutions.

Dans cette partie du cours, nous vous proposons des programmes destinés à éliminer les erreurs et à dissiper la confusion qui accompagnent habituellement la recherche de solutions à des problèmes complexes. Vous apprendrez comment évaluer votre façon de résoudre les problèmes — car il existe dans ce domaine, tout comme dans celui de l'apprentissage, d'importantes différences d'un individu à l'autre — et comment, à partir de ces données, organiser l'information qui servira à trouver des solutions.

LE SECRET DE LA RÉUSSITE

Le véritable problème concernant les problèmes est qu'on ne nous fournit pas de méthode systématique pour les résoudre. Bien sûr, on nous enseigne comment résoudre certains problèmes, par exemple en mathématiques, mais les problèmes d'ordre général sont totalement négligés. Tout comme pour l'apprentissage, nous devons nous débrouiller en tirant nos expériences de la vie quotidienne, et ces méthodes hasardeuses n'entraînent qu'erreurs et confusion. Les procédés indirects et imprécis rendent les problèmes familiers difficiles à résoudre, et les problèmes inhabituels ou particulièrement complexes, tout simplement insurmontables.

Lorsqu'on commet des erreurs, on a souvent tendance à blâmer son intelligence. C'est une réaction, nous l'avons vu, déraisonnable et injuste. L'esprit est tout à fait capable de résoudre des problèmes, une fois qu'il a acquis les programmes adéquats.

Il faut tout d'abord évaluer votre approche personnelle dans ce domaine. Il existe deux grands types d'approches fondamentalement différentes. Tout comme dans l'apprentissage, il importe de savoir organiser les données de la façon qui convient le mieux à nos besoins. Mais ici, la clé du succès consiste à maîtriser les deux styles d'approches. Nous allons donc vous montrer comment utiliser votre type d'approche, mais aussi comment vous servir de l'autre; bien que cette dernière vous soit moins familière, vous apprendrez à en tirer un maximum d'efficacité. Répondez au questionnaire ci-dessous en cochant la lettre qui correspond à votre choix.

QUELLE APPROCHE UTILISEZ-VOUS POUR RÉSOUDRE LES PROBLÈMES?

1. Je préfère résoudre la plupart des problèmes:
   (a) avec une approche logique.
   (b) en me fiant à mon intuition ou à mon inspiration.
2. Si je devais choisir une de ces deux professions, je serais:
   (a) mathématicien(ne).
   (b) agent de publicité.
3. Je pense qu'on devrait résoudre les problèmes:
   (a) en en faisant une analyse sérieuse sans oublier les détails.
   (b) en imaginant plusieurs solutions, et en espérant qu'une d'elles sera la bonne.
4. Lorsque je cherche une adresse dans une ville étrangère je préfère:
   (a) utiliser un plan.
   (b) demander mon chemin à quelqu'un de la place.
5. On peut résoudre la plupart des problèmes:
   (a) en suivant un processus d'élimination progressive.
   (b) en essayant toutes les solutions qui viennent à l'esprit.
6. Si j'ai égaré un objet:
   (a) je fouille méthodiquement tous les endroits où il pourrait être, jusqu'à ce que je le trouve.
   (b) je pense aux endroits où il pourrait se trouver et je vais vérifier.

7. Si on me demande conseil:
   (a) je donne quelques suggestions réfléchies dont l'efficacité est presque assurée.
   (b) je propose plusieurs suggestions qui seront ou non efficaces.
8. Lorsque je cherche la réponse à un problème, j'y arrive le mieux:
   (a) en travaillant seul.
   (b) en échangeant des idées au sein d'un groupe.
9. Lorsqu'une pièce d'équipement tombe en panne, la meilleure façon de la réparer est de:
   (a) la démonter morceau par morceau, jusqu'à ce qu'on trouve la défectuosité.
   (b) évaluer la défectuosité de façon générale avant d'entreprendre la réparation.

Faites le total des (a) et des (b). Avant de passer à l'interprétation de ce test, voyons une situation où la vie des personnes en cause dépend littéralement d'une solution rapide et efficace.

Deux enfants se perdent à la campagne dans une région éloignée. Selon les conditions climatiques et le terrain, les autorités ont le choix entre deux solutions. Des secouristes à pied peuvent faire une battue à l'endroit où les enfants ont été vus la dernière fois. Ils fouilleront les sous-bois, exploreront les pistes de montagne, et les sentiers de la forêt, inspecteront les grottes et les ravins avec précision et méthode. L'autre solution est de faire appel à des hélicoptères de secours qui survoleront le terrain à plusieurs centaines de mètres d'altitude.

Ces deux méthodes ont leurs avantages et leurs inconvénients. Les secouristes qui suivent ce que nous appellerons une *stratégie d'éclaireur*, couvriront scrupuleusement le terrain et risquent peu de manquer les enfants, à condition bien entendu qu'ils cherchent au bon endroit. L'inconvénient de cette méthode est qu'elle est très lente, et les secouristes risquent d'arriver trop tard. La *stratégie de l'hélicoptère* permet de couvrir beaucoup de terrain en peu de temps, et si l'équipage est observateur et chanceux, il retrouvera les enfants en quelques minutes. Mais il existe toujours le risque que l'équipage ne voie pas les enfants, et en conclue qu'ils ont quitté l'endroit.

Il y a des situations où les deux méthodes pourraient être utiles, et certains cas où une seule est possible; par exemple, les secouristes à pied seraient indispensables dans des régions fortement boisées, tandis qu'une recherche aérienne s'imposerait au-dessus de l'océan.

185

Quand il s'agit de résoudre des problèmes quotidiens, les gens adoptent généralement une de ces deux méthodes suivant leur propre mode de fonctionnement. Il y a les *éclaireurs* qui progressent systématiquement jusqu'à la solution, et les *pilotes d'hélicoptère* qui préfèrent avoir une vue beaucoup plus générale du problème, et qui sont moins portés vers une approche systématique.

Si vous totalisez cinq (a) ou plus, vous êtes un *éclaireur*. Autrement dit, vous êtes prudent, logique et supportez difficilement l'incertitude. Vous n'aimez pas l'ambigüité; vous n'accordez aucun poids aux suppositions, ni aux pressentiments lorsque vous cherchez une solution. Confronté à n'importe quel type de problème, vous avez tendance à analyser méticuleusement l'information fournie, et à procéder systématiquement d'une conclusion à une autre.

Si vous totalisez cinq (b) ou plus, vous êtes vraisemblablement un *pilote d'hélicoptère*. Votre approche est plus intuitive et moins systématique. Vous évaluez rapidement l'information et trouvez plusieurs solutions possibles qui devront ensuite être vérifiées. Ayant une vue d'ensemble, vous pouvez trouver une solution plus rapidement que l'*éclaireur*, mais vous risquez aussi qu'un point important ou qu'un détail essentiel vous échappent.

La différence fondamentale entre ces deux méthodes, et qui détermine le type de problèmes que vous êtes le mieux à même de résoudre, réside dans le fait que l'*éclaireur* s'organise pour découvrir une seule solution correcte, alors que le *pilote d'hélicoptère* préfère chercher plusieurs solutions possibles. Suivant les circonstances, ces deux approches peuvent se révéler tout aussi efficaces l'une que l'autre. Certains problèmes exigent une stratégie méthodique, d'autres une vue plus globale. Aussi n'existe-t-il pas seulement deux façons très différentes de résoudre des problèmes, mais aussi deux types de problèmes fondamentalement différents.

Après avoir consacré toute une vie à l'étude de l'intelligence et du raisonnement humains, l'éminent psychologue américain J.P. Guilford[34] en est arrivé à la conclusion qu'on peut classer les problèmes en deux groupes principaux: "convergents", et "divergents". Chaque type s'imposant de façon différente à notre esprit et exigeant une approche différente. Pour illustrer ces dissemblances, voyons comment le grand Sherlock Holmes résoudrait le problème suivant:

Le détective et le fidèle Dr Watson se rendent à New York à la demande expresse du service d'espionnage, pour résoudre un problème d'importance nationale. Après s'être reposé dans sa chambre d'hôtel, Holmes s'apprête à prendre un taxi pour se rendre au quartier général de l'agence. Mais avant cela, il a une tâche vitale à accomplir — établir son compte de dépenses. Comme le gouvernement américain a accepté de couvrir tous ses frais, il s'assure que la liste qu'il prépare avec Watson est bien complète. Lorsque tous deux estiment qu'ils n'ont rien oublié, Holmes fait le total et convertit les livres sterling en dollars. Après vérification, il glisse le compte dans sa poche, met son célèbre couvre-chef et part travailler.

Ce problème simple, et agréable à résoudre, est convergent. Toutes les données, à savoir les dépenses et le cours du dollar et de la livre, ont été rassemblées pour donner une réponse unique et correcte. La méthode suivie ne laissait pas de place à l'erreur, car toute inexactitude aurait rendu la réponse inutile. Tous les problèmes convergents partagent cette caractéristique essentielle, et il s'agit de regrouper tous les éléments pour atteindre le but désiré. Les questions de tests de QI, les problèmes d'examens ainsi que beaucoup d'autres problèmes courants sont convergents. Plusieurs autres cependant sont divergents, en ce sens que les données de base peuvent conduire à un certain nombre de réponses possibles, dont plusieurs s'avéreront aussi satisfaisantes les unes que les autres.

Mis rapidement au courant de la situation par le chef de l'agence, Holmes réalisa sur le champ qu'il avait à résoudre un problème divergent, et épineux. Voici ce qu'on lui dit: Un agent très important est passé dans l'autre camp, et est détenu dans une prison à sécurité maximum par une puissance ennemie. Il doit, dans les jours qui viennent, comparaître à un procès où il fournira des preuves qui d'une part mettront en danger la sécurité des États-Unis, et d'autre part créeront une situation politique très embarrassante. L'agence veut supprimer le traître, mais ne voit pas comment y arriver. Avant le procès, auquel d'ailleurs aucun public ne sera admis, l'homme sera détenu dans une pièce bien gardée, située au treizième étage de l'édifice du tribunal. La seule entrée possible est fermée par une porte en acier devant laquelle des soldats armés feront la garde jour et nuit. Aucune autre issue ni au plafond ou au plancher, et la fenêtre non vitrée est munie de barreaux en acier.

On pourrait poster un tireur d'élite dans l'immeuble de l'autre côté de la rue, mais un assassinat serait récupéré par la puissance ennemie qui en ferait une affaire politique capitale. La seule solution semble être de tuer le prisonnier dans sa cellule, et que sa mort reste mystérieuse aux yeux des gardiens. On a suggéré l'utilisation d'un poison peu connu, mais la nourriture et la boisson du détenu sont préparées sous surveillance, et goûtées par des responsables officiels. On a également proposé un gaz qui attaque le système nerveux, mais par où le faire pénétrer? Le mur extérieur n'a pas de rebord, auquel pourrait s'agripper un agent extérieur, et la pièce se trouve à plus de trente mètres du toit de l'édifice. Le temps de fumer deux bonnes pipes de tabac, Holmes annonce qu'il a trouvé une solution que l'on s'empresse de mettre à exécution. Le lendemain, on retrouve l'homme mort dans la pièce, le crâne fracassé. Aucune trace d'effraction, aucune arme. Quelle est la solution qu'a trouvée Sherlock Holmes? Avant de vous en faire part, nous allons vous donner l'occasion d'appliquer les techniques que nous vous suggérons pour résoudre les problèmes divergents.

Ce type de problème sert souvent à évaluer la souplesse de raisonnement, qualité essentielle pour réussir dans certains domaines. Ainsi, les tests pratiques de raisonnement divergent jouent un rôle important dans l'évaluation des officiers postulants des services armés. On demandera à un petit groupe de candidats de construire un pont au-dessus d'un ravin, en se servant de planches, de corde, ou de bidons d'essence. Plusieurs solutions sont possibles, pour mener à bien cette tâche, et quelques-unes s'avéreront plus efficaces que les autres. Ce que l'équipe d'examinateurs veut évaluer, c'est la capacité des candidats à raisonner de façon créative dans des conditions difficiles.

Les *éclaireurs* sont plus efficaces lorsqu'il s'agit de problèmes convergents, car leur approche méthodique ne laisse de côté aucun détail. Par contre, les *pilotes d'hélicoptère* préfèrent de beaucoup les problèmes divergents, car ils n'ont pas à s'embarrasser de petits détails, et peuvent laisser libre cours à leur imagination et à leur originalité. Pour les *éclaireurs*, une telle approche est bâclée, et irrationnelle; pour les *pilotes*, les stratégies méthodiques sont ennuyeuses et inutilement restrictives. Sherlock Holmes, lui, sut utiliser les deux approches; pour faire le compte de ses dépenses, il adopta une tactique d'*éclaireur*, mais pour éliminer le traître, il dut raisonner en *pilote d'hélicoptère*.

La plupart des gens ont de la difficulté à résoudre des problèmes qui ne correspondent pas à leur type de raisonnement. Ainsi, les *éclaireurs* ont tendance à rechercher des emplois où la plupart des problèmes sont de type convergent: physique, technologie informatique, génie; tandis que les *pilotes* préfèrent les sciences sociales ou les domaines artistiques.

Si vous voulez être efficace, vous devez être capable de maîtriser ces deux types de problèmes. Dans la vie, on est souvent forcé de traiter des problèmes qui ne correspondent pas à notre type de raisonnement. De plus, un même problème fait souvent appel aux deux méthodes. Prenons le cas de Martin, un jeune ingénieur en électronique, qui suivit un de nos ateliers. Excellent technicien, Martin trouvait cependant qu'il manquait de créativité, et qu'il n'arrivait à résoudre que des problèmes faisant appel à la logique ou à des connaissances précises. Cela ne lui causait aucun problème tant qu'il faisait son travail de technicien. Mais il savait que pour avoir une promotion, et accéder à un poste de directeur de la compagnie, il lui faudrait trouver des idées pour de nouveaux produits, et proposer des concepts originaux de marketing. Martin se sentait donc limité. Il avait souvent affaire à des problèmes mixtes: approche convergente au début, et divergente ensuite. Il devait par exemple proposer des utilisations pratiques aux solutions qu'il avait lui-même apportées à des problèmes de design. Si Martin n'avait pas vraiment besoin d'aide pour améliorer son approche convergente (bien que notre cours l'aida à résoudre beaucoup plus rapidement des problèmes particulièrement difficiles), il avait absolument besoin d'aide pour développer une approche divergente.

Nous avons déjà vu comment, en organisant la matière à étudier en fonction de votre style personnel d'apprentissage, il vous était possible de maîtriser n'importe quel type d'étude. En ce qui concerne l'art de résoudre les problèmes, c'est exactement l'inverse. Cette fois c'est vous qu'il faut adapter, afin que vous puissiez passer, selon les besoins, d'une approche qui vous est familière à une autre qui vous l'est moins. Vous y parviendrez facilement en appliquant quelques principes de base que nous verrons en détail à la section suivante. Nous vous dirons également comment obtenir avec votre approche habituelle un maximum d'efficacité et de rapidité.

Section un

COMMENT SONT CONSTRUITS LES PROBLÈMES

Tout problème, qu'il soit convergent ou divergent, simple ou complexe, se compose de trois éléments fondamentaux. C'est Wayne Wickelgren, professeur de psychologie à l'Université de l'Orégon[35] et un des plus éminents experts en la matière, qui les a identifiés comme étant: les *données*, les *opérations* et les *objectifs*.

Il est essentiel de comprendre la structure d'un problème pour le résoudre correctement. Voici un exemple d'erreurs qui peuvent survenir si on n'a pas saisi la véritable nature de chacune de ces composantes. Au cours de notre recherche, nous avons soumis le problème suivant à un grand nombre de personnes: une chandelle mesure 15 cm de long, et son ombre est plus longue de 45 cm. Combien de fois l'ombre est-elle plus longue que la chandelle? Réfléchissez quelques instants avant de donner votre réponse. Si vous dites qu'elle est *trois fois plus longue*, vous avez commis la même erreur que 87% des sujets interrogés. Relisez l'énoncé, et notez bien cette fois que l'ombre de la chandelle est *plus longue* de 45 cm. En d'autres termes, l'ombre mesure 60 cm et est par conséquent *quatre fois* plus longue que la chandelle.

Si vous avez trouvé la réponse, félicitations. Mais si comme la grande majorité des gens vous vous êtes trompé, ne vous alarmez pas. Une fois que vous aurez identifié les trois composantes de ce problème — composantes qui sont les mêmes pour tous les problèmes — vous ne commettrez plus ce genre d'erreur.

En examinant l'énoncé du problème, vous constaterez qu'il vous fournit trois types de renseignements. Tout d'abord les *données*, soit la longueur de la chandelle (15 cm) et celle de l'ombre (45 cm plus longue). Ensuite, pour résoudre ce problème, nous devons traiter l'information d'une façon particulière. Il s'agit de faire une *opération*, qui n'est pas décrite dans l'énoncé, mais suggérée de façon *implicite* par la nature même du problème. Quiconque ayant des rudiments de mathématiques peut voir qu'il s'agit ici d'une division. Enfin, il y a l'*objectif*, ou solution, que nous devons trouver. Celui-ci est clairement formuler: trouver combien de fois la longueur de la chandelle est contenue dans celle de l'ombre. Comme nous le verrons plus loin, l'objectif n'est pas toujours aussi clairement défini, et dans certains problèmes, l'identification de l'objectif constitue la majeure partie du travail.

Si vous avez fait une erreur, il est pratiquement certain que c'est à cause d'une mauvaise interprétation de l'énoncé; vous n'avez pas vu que l'ombre était *plus longue* de 45 cm. Le truc consiste ici à camoufler la véritable nature de la seconde donnée. Donc, avant de vous attaquer à un problème, quel qu'il soit, assurez-vous d'avoir répondu à ces trois questions:

Ai-je bien compris les données — toutes les données?

Ai-je bien compris les opérations — toutes les opérations?

Ai-je bien compris le(s) objectif(s) — tous les objectifs?

Ce n'est qu'après avoir répondu affirmativement à ces trois questions que vous pouvez espérer résoudre efficacement le problème donné. Vu l'importance de ces trois composantes, nous allons étudier chacune d'elles en détail. Nous analyserons ensuite la marche à suivre pour décomposer un problème.

Les données

Une mauvaise compréhension des données est une source fréquente d'erreurs. Il se peut que vous en négligiez un aspect, comme ce fut peut-être le cas dans l'exemple ci-dessus, ou parce qu'une donnée essentielle n'aurait été indiquée que de façon *implicite*. Voici comment un problème extrêmement simple peut devenir très complexe.

Deux cyclistes se font face sur une piste longue et droite, à vingt kilomètres de distance. Au même instant, ils commencent à pédaler l'un vers l'autre, à une vitesse de 10 km/h. Au moment où ils se mettent en route, une mouche se trouvant sur le guidon d'une des bicyclettes s'envole et va atterrir sur l'autre bicyclette, puis retourne immédiatement sur la première bicyclette. La mouche continue ses allers retours sur une distance diminuant continuellement, et à une vitesse de 45 km/h. Sans tenir compte du temps qu'elle met à faire ses "virages", trouvez la distance qu'elle aura parcourue lorsque les deux cyclistes se rencontreront.

Ici, les données sont: la distance qui sépare les cyclistes avant qu'ils ne se mettent en route, la vitesse à laquelle ils se déplacent, et celle à laquelle la mouche se déplace. Avez-vous trouvé la solution? Si non, réfléchissez à une donnée essentielle qui n'est pas mentionnée en tant que telle dans l'énoncé, mais que vous connaissez. Si vous n'avez toujours pas trouvé, reportez-vous à la fin de cette section où la solution est exposée.

Voici un autre problème, qui met plus l'accent sur des connaissances d'ordre général. On y retrouve le genre de piège qu'un auteur de roman policier utilise lorsqu'il veut brouiller les pistes.

Le maître d'hôtel explique au détective qu'il avait été intrigué par l'absence de son maître, le banquier millionnaire Charles Foot, qui n'était pas sorti de sa chambre noire pour déjeuner. Grand amateur de photographie, le banquier s'était retiré dans son laboratoire, juste après le petit déjeuner, pour y tirer des épreuves noir et blanc. Dans sa déclaration, le maître d'hôtel expliqua: "Je suis entré dans la chambre noire, et j'y ai trouvé mon maître effondré sur la table, éclairé par la lumière rouge de la lampe de sécurité. J'ai d'abord pensé qu'il s'était endormi, puis j'ai vu que sa chemise était tachée de sang. Je n'ai touché à rien, je suis sorti et j'ai appelé la police."

Le problème du détective, et celui du lecteur, est de déterminer si le maître d'hôtel dit ou non la vérité, et s'il ment, de découvrir l'erreur qui peut lui être fatale. L'histoire fournit un certain nombre de données, mais la clé de l'énigme n'est pas mentionnée. L'auteur compte sur le fait que son héros, et ses lecteurs, disposent de certaines connaissances qui les conduiront à la solution. Vous trouverez la réponse expliquée à la fin de cette section.

Les données sont parfois ambiguës à cause de certains mots qui peuvent avoir plus d'un sens. Nous avons vu, dans le chapitre consacré aux problèmes de mots, les écueils qu'il fallait éviter. Des mots comme invalide, conduite, patient, carrière, etc. peuvent induire en erreur.

Donc, en ce qui a trait aux données, ne prenez rien pour acquis. Commencez par répondre attentivement à ces trois questions:

Ai-je bien identifié toutes les données du problème, y compris celles qui découlent d'autres données, ou qui ne seraient exprimées que de façon implicite?

Ai-je bien identifié et considéré les ambiguïtés qui pourraient m'induire en erreur?

Ai-je correctement compris l'information fournie par les données, que ce soit par celles qui ont été clairement indiquées dans l'énoncé, ou par celles que j'ai ajoutées en me basant sur mes connaissances générales?

Ce n'est qu'après avoir répondu affirmativement à ces trois questions que vous pouvez poursuivre, et identifier les opérations à effectuer à partir de ces données. Exercez-vous avec le problème suivant, dont la solution dépend d'une compréhension *complète* des données. Si vous les saisissez correctement, vous ne pouvez pas vous tromper.

Les quatre tomes d'un dictionnaire sont rangés côte à côte sur une étagère. Les livres sont bien placés à l'endroit, dans un ordre croissant de la gauche vers la droite; chacun mesure 10 cm d'épaisseur, et sa reliure, 1 cm d'épaisseur. Un ver se met à ronger les livres, en commençant par la page 1 du tome I. S'il ne s'arrête qu'à la dernière page du tome IV, quelle distance en centimètres aura-t-il parcourue?

Les opérations

Les opérations servent à traiter les données fournies dans l'énoncé. Notre problème de chandelle ne comportait qu'une simple opération; diviser la longueur totale de l'ombre par la longueur de la chandelle (15 cm). Si vous avez pris comme point de départ une ombre de 45 cm, vous avez divisé 45 par 15, et obtenu 3, ce qui était inexact bien que votre opération, elle, soit parfaitement adéquate. Si vous avez identifié correctement les données, vous avez divisé 60 par 15 et obtenu la bonne réponse, soit 4.

Dans de nombreux problèmes, les opérations, comme les données, sont déguisées, implicites, présupposées ou ambiguës pour rendre l'exercice plus difficile. De nombreux tests de QI servent à évaluer si vous êtes capable de trouver quelles opérations vous donneront la réponse. Les exercices mentaux qui ont servi à vous familiariser avec les tests de QI étaient tous en fait des *opérations* très efficaces que vous pouvez appliquer aux données des problèmes pour arriver rapidement et efficacement à la solution.

Soyez souple dans votre raisonnement. Une vision étriquée vous force à n'utiliser que des méthodes qui vous sont familières, mais qui ne sont pas toujours les bonnes. Prenons un exemple: vous devez former *quatre* triangles équilatéraux à l'aide de six allumettes. Il vous faudra ici identifier un type particulier d'opération pour trouver la réponse.

Exercez-vous avec de vraies allumettes. Vous trouverez la solution expliquée à la fin de cette section.

Voici un autre exemple, où vous devez vous concentrer sur les opérations et vous assurer que vous avez *parfaitement* compris l'énoncé, avant de donner la réponse. Huit diplomates se saluent lors d'une conférence. Chacun sert la main aux autres une fois. Combien de serrements de mains peut-on compter?

Vous trouverez la réponse à la fin de la section.

Il arrive, dans certains problèmes, que les données et les opérations échappent à l'attention du lecteur qui subit une sorte de cécité mentale que les psychologues appellent un *set.*

À PARIS AU
AU PRINTEMPS

Si vous avez lu *À Paris au printemps*, vous êtes tombé dans le piège. Relisez les mots attentivement, et vous verrez qu'on a ajouté un "au". Le détail échappe souvent même aux lecteurs attentifs, car l'esprit identifie la phrase familière sans tenir compte du mot ajouté.

Autre type de cécité mentale, la *rigidité fonctionnelle* étudiée par le Dr Karl Duncker[36], pionnier dans la recherche et l'étude concernant la

193

façon de résoudre les problèmes, et dont nous parlerons plus loin au sujet des problèmes divergents. Au cours d'une expérience type, Karl Duncker donna à ses sujets une bougie, des allumettes, des clous et une boîte, puis leur demanda de trouver un moyen de fixer la bougie sur une porte en bois. Première version de l'exercice: les objets étaient placés séparément sur une table. Deuxième version: la bougie, les clous et les allumettes avaient été placés dans la boîte. Avec les éléments placés les uns à côté des autres, la plupart des sujets virent tout de suite qu'il fallait fixer la boîte à la porte à l'aide des clous, puis faire fondre un peu de cire pour faire tenir la bougie dans la boîte. Par contre, lorsque la boîte leur fut présentée en tant que *contenant*, très peu s'en servirent comme chandelier. Ils n'y virent qu'un contenant pour les autres accessoires.

Avant de chercher une solution à un problème, assurez-vous que vous avez répondu à ces deux questions:

Ai-je bien identifié les opérations suggérées, ou énoncées de façon explicite ou implicite?

Ai-je exploré à fond *toutes* les possibilités d'organiser et de traiter les données et les objets?

Si vous avez répondu affirmativement à ces questions, vous êtes prêt à aborder la dernière composante du problème, l'objectif.

L'objectif

Dans les problèmes que nous avons vus jusqu'à présent, tous les objectifs étaient clairement formulés, comme c'est généralement le cas pour les problèmes convergents.

Mais dans certains problèmes, il faut reformuler l'objectif. Cela arrive surtout dans les problèmes divergents. Voici un problème classique qui illustre bien l'importance de ce point.

Un riche marchand a deux fils qui se vantent sans cesse de leur talent de cavaliers et de la rapidité de leur monture. Chacun proclame sa supériorité sur l'autre, à tel point que leur père, exaspéré de les entendre se disputer, décide de régler le conflit de façon définitive. Il leur dit que sa fortune ira à celui qui gagnera une course entre son château et la ville voisine, située à quelque cent kilomètres de l'autre côté du désert. Mais cette course a ceci de particulier que la récompense ira à celui dont la monture arrivera aux portes de la ville en *dernier*. Les cavaliers se mettent en route, aussi lentement que possible, si bien qu'après plusieurs jours, ils sont encore à quelques mètres de la demeure paternelle, et il semble que cette course ne finira jamais. Un sage les rencontre, qui, une fois mis au courant de la situation par les deux jeunes gens, leur donne un conseil. Quelques secondes plus tard, les deux cavaliers galopent à bride abattue en direction de la ville. Quel conseil le sage leur a-t-il donné?

La réponse à cette énigme se trouve à la fin de cette section.

Tout comme vous l'avez fait pour les données et les opérations, assurez-vous que vous avez bien compris l'objectif. Si vous ne voyez pas comment utiliser les données et les opérations pour atteindre l'objectif que *semble* indiquer le problème, demandez-vous si ce même objectif ne pourrait pas être considéré d'une autre façon. Par exemple, si on vous demande de *soulever* un objet, et que cela semble impossible à faire, voyez ce qui arriverait si vous en *baissiez* un autre. Si on vous dit, dans l'énoncé, que quelque chose doit venir *en premier*, et que cela semble impossible, demandez-vous ce qui se passerait si vous placiez autre chose *en dernier*. C'est cette technique d'opposition que vous devez adopter pour résoudre l'énigme ci-dessus.

Nous venons de voir comment sont construits les problèmes. Dans les sections deux et trois, nous vous indiquerons deux autres façons de les décomposer.

Réponses aux problèmes
Les cyclistes et la mouche
La réponse est 45 km. Il suffit d'analyser les données ci-dessous:

Distance qui sépare les cyclistes	20 km (se trouve dans l'énoncé)
Vitesse des cyclistes	10 km/h (se trouve dans l'énoncé)
Vitesse de la mouche	45 km/h (se trouve dans l'énoncé)

Distance en kilomètres parcourue par la mouche en une heure... 45 km (déduite à partir des données précédentes).

Temps qui s'écoule avant que les cyclistes ne se rencontrent... (non indiqué, mais déduit du fait que se déplaçant à 10 km/h ils se rencontreront au milieu de la piste de 20 km en 60 minutes).

La solution est donc 45 km. Le fait que la mouche ait de moins en moins de chemin à parcourir entre les deux cyclistes est une donnée destinée à vous induire en erreur. Si sa vitesse est de 45 km/h, c'est la distance parcourure en une heure qu'il faut considérer, *non le trajet.*

L'assassinat du banquier

Dans les romans policiers classiques, le maître d'hôtel est toujours coupable, et cette petite énigme ne fait pas exception. Comment le détective en est-il arrivé à cette conclusion? Quelle erreur fatale a commis le maître d'hôtel? Examinez les données:

Cadavre trouvé dans la chambre noire.

Cadavre effondré sur la table de travail.

Pièce éclairée par la lumière rouge.

Chemise de l'homme tachée de sang.

Le maître d'hôtel appelle tout de suite la police.

Il est clair que nous n'avons pas besoin de toutes ces données pour percer le mystère, mais qu'il s'agit pour réussir de dégager la ou les données pertinentes. Ce que l'énoncé ne dit pas, mais que chacun sait, c'est que le sang est *rouge*. Ajoutons cette information à notre liste, et une des données précédentes va aussitôt ressortir.

Chemise de l'homme rouge de sang

Pièce éclairée par une lumière rouge

Étant donné que sous une lumière rouge on ne peut pas distinguer le rouge, le maître d'hôtel a forcément menti.

Les dictionnaires sur l'étagère

Si vous êtes tombé dans le piège, vous avez répondu 46 cm. Vous n'avez pas compris les données du problème. Vous avez sans doute imaginé un livre dont la première page se trouve à gauche, et la dernière à droite, qui est l'ordre habituel lorsqu'on ouvre un livre pour le lire. Ici, les dictionnaires sont rangés côte à côte sur l'étagère, et cela change complètement les données.

La page un d'un livre sur une étagère se trouve à la droite du livre, de sorte que, dans le premier volume, le ver n'a qu'*une* couverture (1 cm) à traverser. Il doit ensuite traverser une autre couverture, 10 cm de papier, et une seconde couverture pour sortir du tome II. Puis, il parcourt la même distance pour traverser le tome III. Enfin, il ne lui reste qu'à ronger la couverture du tome IV pour arriver à la dernière page de celui-ci. Il a donc traversé six couvertures, soit 6 cm, et 20 cm de feuilles de papier. La réponse est donc 26 cm.

Dans ce problème, si vous n'avez pas considéré la position des livres sur l'étagère, c'est cet oubli qui vous a induit en erreur.

Les trois triangles

Ce problème ne peut être résolu que d'une seule manière, et il faut dépasser le set mental qui vous force à raisonner en deux dimensions. Au lieu de déplacer les allumettes à plat, vous devez construire une pyramide, et vous obtiendrez quatre triangles équilatéraux.

Les diplomates
Si vous avez répondu 56, c'est que vous n'avez pas traité correctement les données — c'est-à-dire le nombre de diplomates. La bonne réponse est 28: une fois que A a serré la main de B, B lui a également serré la main.

Le marchand et ses fils
L'objectif tel que formulé est pratiquement inatteignable. Il faut le reformuler de manière à ce que l'épreuve devienne claire. L'énoncé dit que le gagnant sera celui dont la *monture* arrivera en dernier aux portes de la ville. Le conseil que le sage a donné aux deux fils est simplement de changer de *cheval*. Ceci étant fait, les deux cavaliers n'ont plus qu'à galoper aussi vite que possible, le premier arrivé étant sûr que son *cheval* arrivera après celui de l'autre.

Section deux

COMMENT DÉCOMPOSER LES PROBLÈMES

La meilleure façon de comprendre comment fonctionne un objet, c'est souvent de le démonter pour voir comment les différentes pièces agissent les unes par rapport aux autres. Cet exercice nous donne généralement un bon aperçu du mécanisme, et nous permet d'identifier chaque pièce. Il va sans dire cependant qu'il faut procéder avec méthode si vous ne voulez pas vous retrouver avec un amoncellement de pièces détachées que vous n'arriverez plus à remettre en place.
Il en va de même quand vous décomposez les problèmes, non seulement pour en isoler les données, les opérations et les objectifs, mais également pour en connaître les structures de base et mieux saisir certaines relations moins évidentes. Si vous ne procédez pas à une analyse logique et rigoureuse, vous risquez d'obtenir plus de questions que de réponses. C'est généralement ce qui se produit, si on n'a pas appris à procéder méthodiquement.

Pour être efficace, vous devez suivre deux techniques d'analyse fondamentales: le *découpage créatif*, et les *arbres de solution*. Nous allons décrire ces méthodes et les mettre en pratique en analysant quelques problèmes élémentaires. Dans les sections trois et quatre, nous les appliquerons à des problèmes plus complexes, de types convergent et divergent.

C'est George Miller, professeur de psychologie à l'Université de Princeton[37], qui a mis au point la technique du *découpage créatif*. Elle s'appuie sur le principe selon lequel il est plus facile de résoudre deux problèmes simples qu'un seul problème complexe. L'information est décomposée en ses éléments essentiels selon une méthode qui préserve les rapports fonctionnels entre ceux-ci, et qui permet donc de reconstruire l'information sous forme de réponse. Dans une certaine mesure, cette technique se rapproche de la fragmentation progressive. Toutes deux servent à réduire la complexité d'un problème. Mais tandis que dans la fragmentation progressive vous pouvez décomposer les données selon l'approche qui vous convient le mieux, le *découpage créatif* doit obéir à la structure du problème, et tendre à isoler les éléments qui pourront ensuite composer l'*arbre de solution*.

Les scientifiques se servent des *arbres de solution* pour l'analyse détaillée de problèmes devant être traités par ordinateur. Cette technique permet d'explorer de façon systématique les trajets les plus directs et les plus sûrs pour arriver à une solution. Appliquée à notre raisonnement, elle élimine la confusion et nous conduit plus rapidement à la réponse.

Au cours de notre recherche sur les façons d'améliorer le rendement intellectuel, nous avons étudié à fond la technique des arbres de solution et nous considérons qu'il s'agit là d'une méthode très précieuse pour résoudre les problèmes. Une fois que vous en aurez maîtrisé le fonctionnement, vous pourrez traiter avec succès les problèmes les plus complexes, qu'ils soient de type convergent ou divergent.

Le découpage créatif

Appliquons cette méthode à deux types de problèmes pour que vous puissiez ensuite la comparer à votre propre façon de procéder. Pour ce faire, réfléchissez bien aux problèmes avant de lire nos explications. Prenez note du temps qu'il vous a fallu pour trouver une solution, et réfléchissez à votre type d'approche. Vous verrez qu'en utilisant le découpage créatif, la solution apparaît presque aussitôt.

Le bureau en L
Imaginez que vous êtes le directeur d'une compagnie en pleine expansion. Vous venez de louer un espace supplémentaire et d'engager du nouveau personnel. Malheureusement, le seul local disponible de l'immeuble est en forme de L, comme l'illustre la figure ci-dessous.

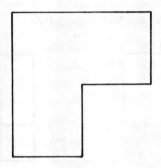

Figure 58

Vous devez diviser cet espace en quatre bureaux de dimensions et de forme identiques, destinés à de jeunes directeurs qui occupent le même rang dans votre compagnie. De plus, les cloisons doivent être droites puisque le mobilier, de modèle standard, ne pourrait être utilisé dans une pièce de forme bizarre. Or, vous êtes pressé par le temps, et pour comble de malchance, vous n'avez ni mètre, ni règle vous permettant de prendre des mesures exactes et de faire des calculs précis.

Comment résoudre rapidement et facilement ce problème et construire quatre bureaux identiques dans cet espace?

Les livres de classe
Vous êtes le directeur d'une école de 1000 élèves, et vous devez commander les manuels au programme de chaque cours. Les élèves peuvent choisir d'étudier soit les langues, soit les sciences, et ce trimestre, le département des langues étrangères vous informe que 400 élèves veulent apprendre l'espagnol, et 300 l'anglais. Cent cinquante des étudiants en langues veulent s'inscrire aux deux cours. Combien de livres de sciences devrez-vous commander pour que chaque élève n'ayant pas choisi les langues ait le sien?

Application de la technique du découpage créatif

Le bureau en L

Cet espace semble au début ne pouvoir être divisé qu'en trois parties égales, comme l'illustre la figure 59. Peut-être avez-vous même dessiné ces compartiments avant de vous apercevoir que ce n'était pas la bonne approche. En faisant cela, sans le savoir, vous utilisiez la technique du découpage créatif. Si vous aviez poursuivi dans cette direction, la réponse vous serait apparue (figure 60).

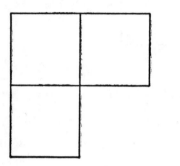

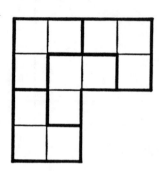

Figure 59   **Figure 60**

Les livres de classe

Vous devrez commander 450 livres de sciences, et non 300 comme vous avez peut-être répondu. Examinez toutes les données:

Nombre total d'élèves	1000
Nombre d'élèves au cours d'espagnol	400
Nombre d'élèves au cours d'anglais	300
Nombre d'élèves inscrits et en espagnol et en anglais	150

Si votre réponse est 300, c'est que vous n'avez tenu compte que des trois premières données. Vous avez additionné le nombre d'élèves en espagnol et en anglais, et vous êtes arrivé à un total de 700 que vous avez soustrait de 1000. Vous n'avez pas tenu compte des 150 qui ont choisi les deux langues, en supposant qu'ils étaient compris dans le plus grand nombre.

200

Pour décomposer ce problème selon notre méthode, commencez par considérer tous les éléments et les rapports existant entre eux. La tâche est plus facile lorsqu'on peut faire un dessin.

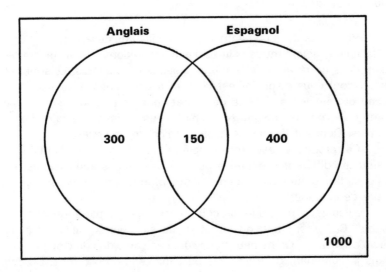

Figure 61

Le rectangle représente le nombre total d'élèves dans l'école. Le cercle de gauche les élèves ayant choisi l'anglais, celui de droite les élèves ayant choisi l'espagnol, et la partie commune aux deux cercles représente les 150 élèves inscrits aux deux cours. Étant donné que ces derniers appartiennent aux deux ensembles, il faut soustraire leur nombre du total pour avoir le nombre total d'élèves en langues.

On commence donc par additionner le nombre d'élèves en anglais et en espagnol: 300 + 400 = 700

Puis on soustrait le nombre d'élèves inscrits aux deux cours: 700 − 150 = 550

Enfin, on soustrait ce total de 1000 pour savoir combien d'élèves ne prennent pas les langues, et on arrive à 450.

Illustrer les divers aspects d'un problème de cette façon aide souvent à comprendre les données et à éviter les erreurs.

L'arbre de solution

On réserve généralement l'utilisation des arbres de solution aux problèmes particulièrement complexes. Cependant, afin d'illustrer la façon dont fonctionne cette méthode, nous l'appliquerons ici à un problème très simple.

L'eau dans le désert

Vous êtes dans un camp, en plein milieu du désert, et vous devez transvider exactement deux litres d'eau d'un bidon plein qui en contient cinq, dans un réservoir vide d'une capacité de dix litres. Le seul autre bidon dont vous disposiez est vide, et a une capacité de trois litres. L'eau est précieuse dans le désert, et vous ne pouvez pas vous permettre d'en perdre une goutte. De plus, vous ne devez pas faire d'efforts inutiles. Quel est le moyen le plus rapide de procéder?

Ce problème est très simple, et vous pouvez mentalement traiter les différentes données pour arriver à l'opération voulue, puis à l'objectif indiqué. Voyons comment l'information s'organise dans un arbre de solution.

Avec cette méthode, on commence toujours par énoncer le problème. Ceci étant fait, on voit tout de suite ici se dessiner qu'une seule opposition. On ne peut transvider l'eau du bidon de cinq litres que dans le contenant de trois litres ou dans celui de dix litres. Ce choix constituera les branches du premier palier de l'arbre:

Énoncé du problème

Départ

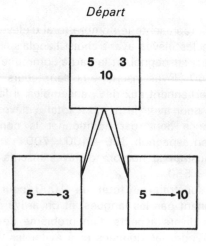

Figure 62A

202

À cette étape, nous avons trois façons de procéder. L'eau du bidon de cinq litres peut être versée dans le réservoir de dix litres; l'eau du bidon de trois litres peut être transvidée dans le réservoir de dix litres; l'eau du réservoir de dix litres peut être versée dans le bidon de trois litres. Toutes ces possibilités peuvent être représentées par l'arbre de solution.

Évidemment seules la première et la troisième façons de procéder peuvent mener au résultat voulu. Vérifions cette étape de notre raisonnement en dessinant le dernier palier de l'arbre.

Mais dans aucun de ces cas nous n'obtenons tout de suite la quantité d'eau requise dans le plus grand contenant. La solution complète est illustrée par la figure ci-dessous.

Comme vous l'aurez remarqué, les problèmes que nous venons de traiter sont de type convergent; il n'y a qu'une seule *bonne* réponse. Cela ne veut pas dire cependant qu'il n'existe qu'une seule façon de procéder.

Que vous ayez commencé par verser l'eau du réservoir de cinq litres dans celui de trois ou de dix litres, vous obtenez toujours la bonne réponse. Des deux solutions, la seconde (5 dans 10) est peut-être préférable car plus directe. Avec la première solution, on courait le risque, léger mais quand même, de verser l'eau du bidon de trois litres dans celui de dix, et d'arriver à une mauvaise réponse.

Il existe pour de nombreux problèmes plusieurs solutions, et vous devez savoir choisir la meilleure. Nous entendons par là, la stratégie qui mène le plus rapidement et le plus clairement à la solution. Si nous reprenons le compte de dépenses de Sherlock Holmes, nous voyons qu'il aurait pu convertir chaque montant en dollars avant de les additionner. Bien sûr, cette méthode aurait donné la même réponse, mais elle aurait été moins rapide et moins sûre que celle qu'il a adoptée.

Voici en résumé les trois étapes à suivre pour arriver à résoudre des problèmes:

Commencez par un énoncé clair et détaillé du problème. Assurez-vous que vous comprenez parfaitement les données, les opérations et les objectifs. Ayez une vue globale du problème.

Décomposez un problème complexe en une série de parties de plus en plus petites et faciles à traiter. En solutionnant chacun de ces mini-problèmes, vous arriverez automatiquement à la solution finale. Utilisez pour ce faire la méthode du découpage créatif dont se servent les informaticiens.

203

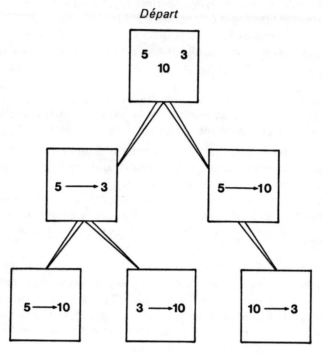

Figure 62B

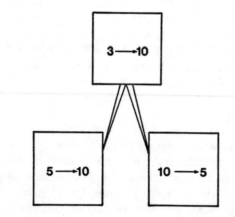

Figure 62C

204

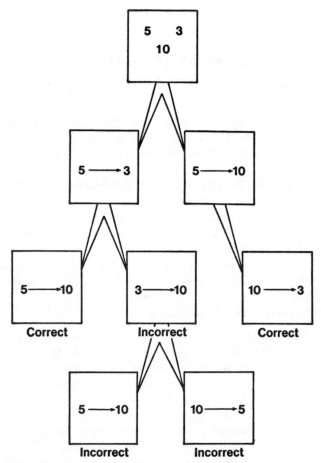

Figure 62D

Enfin, reliez les sous-problèmes les uns aux autres de façon logique, puis reliez-les par des lignes pour construire votre arbre de solution. Nous vous fournirons plus loin d'autres exemples pour vous familiariser avec cette technique.

Mathématiciens et physiciens cherchent sans cesse à former des théories dites *"élégantes"*, c'est-à-dire épurées de tout élément inutile à la démonstration. Ayez le même souci lorsque vous dessinez un arbre de solution. Les étapes simples sont les plus directes et les plus sûres. Nous allons maintenant vérifier l'efficacité de cette technique en examinant des problèmes de type convergent assez complexes.

Section trois

COMMENT TRAITER
LES PROBLÈMES CONVERGENTS

Bien qu'il n'existe qu'une seule solution possible aux problèmes convergents, les trajets pour y parvenir peuvent être multiples. Vous devez donc trouver quel est le chemin le plus court, le plus sûr et le plus direct.

Si vous êtes un *éclaireur*, l'aspect systématique de l'arbre de solution vous conviendra parfaitement. Si par contre vous êtes un *pilote d'hélicoptère*, cette approche pourra vous déconcerter; lisez donc très attentivement cette section, car elle vous permettra de surmonter votre léger handicap.

Nous allons commencer par vous donner un exemple, et nous vous soumettrons ensuite quelques problèmes avec leurs solutions.

Le problème des trois vendeurs

Vous êtes le propriétaire d'un magasin de pièces d'automobile et vos affaires sont excellentes. Vous décidez donc d'ouvrir une succursale en ville. Trois vendeurs expérimentés travaillent déjà pour vous, Alfred, Robert et Charles, et vous avez décidé de les transférer à votre nouvel établissement pour faire démarrer l'affaire. Ils seront remplacés par trois jeunes vendeurs qui devront suivre une formation.

Vous ne transférerez vos vendeurs expérimentés qu'un à la fois; vous travaillerez avec chacun quelques semaines pour qu'il s'habitue à la nouvelle routine, puis vous reviendrez dans votre premier magasin pour former un des nouveaux vendeurs. Il en sera ainsi jusqu'à ce que ces derniers soient capables de se passer de vous; vous irez alors travailler avec Alfred, Robert et Charles.

Ce plan semble réalisable, mais vous éprouvez quelques problèmes. Tout d'abord, vous ne pourrez opérer qu'un seul transfert à la fois. D'autre part, vous avez déjà constaté qu'Alfred et Robert ont tendance à se quereller lorsque vous n'êtes pas là pour les surveiller, et que cela crée des situations désagréables pour les clients. Vous pensez également qu'il ne faut pas non plus laisser Robert et Charles sans surveillance, car étant bons amis, ils ont tendance à bavarder et leur travail s'en ressent.

Jusqu'à maintenant cela ne vous a jamais dérangé, car vos vendeurs ont toujours bien travaillé lorsque vous étiez dans le magasin. Mais à présent, il peut y avoir un problème si Alfred et Robert, ou Robert et Charles doivent travailler sans surveillance. L'ancien magasin est trop petit pour que plus de cinq personnes puissent y travailler, donc pas question d'engager plus de personnel pour régler votre problème.

Vous devez donc trouver un moyen qui satisfera les conditions suivantes: les nouveaux vendeurs doivent recevoir une formation, et les anciens se familiariser avec le nouveau magasin, pour que vous puissiez laisser votre première affaire aux jeunes vendeurs, et travailler avec les trois autres. Vous ne voulez pas laisser Alfred et Robert ou Robert et Charles travailler ensemble en votre absence.

Avant de continuer, essayez de résoudre ce problème. Pensez aux processus mentaux mis en oeuvre, et voyez comment votre approche répond aux exigences du problème.

Comme dans une partie d'échecs, il faut dans les problèmes de ce type mémoriser l'information essentielle en même temps qu'on prévoit le prochain mouvement qu'on fera. Comme nous l'avons déjà expliqué, la capacité de la mémoire à court terme est assez limitée, et risque donc d'être dépassée. Plus un problème est complexe, plus il est difficile de garder l'information en mémoire. Bien qu'il s'agisse ici d'un problème de difficulté moyenne, 30 % seulement des sujets auxquels nous l'avons soumis ont pu construire dans leur tête la série de mouvements qu'il fallait faire, et ce bien que la moitié d'entre eux aient été des experts en la matière.

La plupart durent prendre en note l'information pour ne pas surcharger la mémoire à court terme, et malgré cela, beaucoup commirent des erreurs. Vingt-cinq pour cent utilisèrent des bouts de papier ou des allumettes pour représenter les vendeurs, et visualiser leurs déplacements. Or aucune de ces techniques n'est particulièrement efficace, que ce soit au niveau du temps, de la logique ou de la fiabilité. La meilleure approche consiste à élaborer un arbre de solution, surtout si ce type de problème ne vous est pas familier.

Commencez votre arbre en suivant la méthode indiquée. Posez d'abord une donnée de l'énoncé, et voyez comment vous pouvez construire les paliers qui en découlent.

Utilisez des abréviations: A pour Alfred, R pour Robert, C pour Charles; X pour les nouveaux vendeurs et P pour le propriétaire. Dessinez des rectangles représentant les deux magasins, et placez-les à chaque palier de construction de l'arbre. En informatique, ces ''boîtes'' s'appellent des *noeuds*, et c'est ce terme que nous utiliserons à partir de maintenant.

Une fois que vous avez correctement identifié les données, et l'objectif, attaquez-vous aux opérations.

Voici les racines de votre arbre (figure 63A). Essayez de les développer d'une façon logique avant de lire ce qui suit.

Ancien magasin	Nouveau magasin
A R C P	

Figure 63A

Avez-vous trouvé la solution? Si oui, félicitations. Si vous avez eu des difficultés, ou si vous n'êtes pas parvenu à la solution, ne vous découragez pas. Toute connaissance nouvellement acquise exige temps et pratique, surtout si votre approche habituelle est celle du pilote d'hélicoptère. Nous allons développer l'arbre correspondant à notre problème étape par étape.

Un arbre pour le problème des trois vendeurs

Après avoir vérifié que l'énoncé de départ est correct, voyons quels sont les trajets possibles, et écrivons-les en entier de façon à créer le premier niveau de notre arbre.

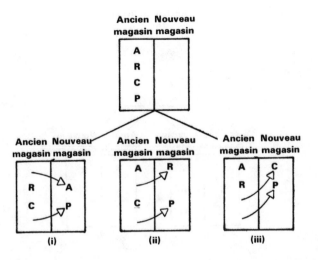

Figure 63B

On peut immédiatement éliminer deux de ces mouvements puisqu'ils ne correspondent pas aux conditions de l'énoncé. Dans (i), Robert et Charles travaillent sans surveillance, et dans (iii) Alfred et Robert sont ensemble. Seul (ii) convient et doit être développé.

Nous savons par l'énoncé du problème, qu'ayant transféré un vendeur expérimenté dans votre nouveau magasin, vous comptez travailler quelques semaines avec lui pour le mettre au courant de son nouveau travail, et retourner à l'ancien magasin pour former le jeune vendeur qui le remplacera.

Pour construire le prochain palier de noeuds, nous supposons donc que Robert est resté seul dans le nouveau magasin tandis que vous êtes reparti dans l'ancien pour former l'autre vendeur, X.

Il s'agit maintenant de transférer Alfred ou Charles pour qu'il travaille avec vous et Robert dans le nouveau magasin. L'arbre ne peut donc se développer que de deux façons:

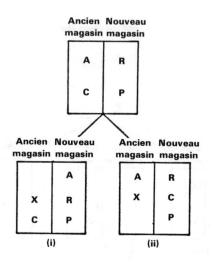

Ancien Nouveau
magasin magasin

A	R
C	P

Ancien Nouveau
magasin magasin

	A
X	R
C	P

(i)

Ancien Nouveau
magasin magasin

A	R
X	C
	P

(ii)

Figure 63C

Le noeud (i) illustre ce qui arriverait si vous ameniez Alfred avec vous dans le nouveau magasin, tandis que (ii) illustre la situation où Charles a été choisi. Notez le X dans l'ancien magasin, indiquant qu'un nouveau vendeur a été formé.

En observant notre arbre, nous voyons que ces deux combinaisons conduisent à une situation qui ne remplit pas les conditions stipulées dans l'énoncé.

Si vous prenez Alfred avec vous, comme l'indique le noeud (i), Robert et Alfred resteront seuls lorsque vous retournerez à l'ancien magasin pour former le nouveau vendeur. De même, si vous prenez Charles avec vous comme l'indique le noeud (ii), lui et Robert travailleront sans surveillance après votre départ et c'est justement cela que vous voulez éviter.

Cela veut-il dire que ce problème est insoluble?

Dans la vie quotidienne, il existe des problèmes qui n'ont pas de solution, ou du moins pas de solution qui réponde aux conditions fixées au départ. Le principal avantage de l'arbre de solution c'est qu'il vous permet d'identifier rapidement ce genre de problème; donc de sauver du temps, et de ne pas chercher en vain des solutions inexistantes. Cette méthode vous permet également de reconsidérer soit les données, soit le ou les objectifs, et de les reformuler de telle sorte que le problème puisse être résolu.

Il est peu probable que le problème qui nous occupe n'ait pas de solution. Si un obstacle vous empêche de continuer, c'est que vous êtes tombé dans un piège. Tout comme nous devons le faire pour résoudre les problèmes de notre vie quotidienne, il faut ici reconsidérer l'information dont on dispose, et réexaminer longuement et très attentivement les données et l'objectif. Ce dernier est très clairement établi, et ne laisse aucune place au compromis ou à la reformulation. Il faut donc examiner les données plus attentivement. Or, notre problème serait résolu si nous ramenions un des vendeurs expérimentés avec nous dans l'ancien magasin, en laissant l'autre travailler seul. Bien des gens à qui ce problème a été soumis n'arrivent pas à le résoudre parce qu'ils *assument* qu'une fois qu'un vendeur expérimenté a été transféré au nouveau magasin il doit forcément y rester. Mais une telle condition ne se trouve nulle part dans les données, et rien ne nous empêche de retransférer les vendeurs expérimentés d'un magasin à l'autre à condition que le nombre de personnes dans l'ancien magasin ne dépasse pas cinq, et que les combinaisons de personnel respectent l'énoncé.

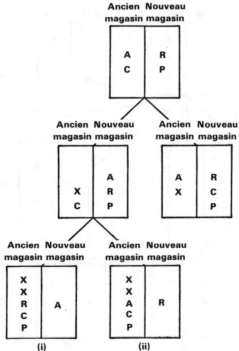

Figure 63D

211

Grâce à notre arbre de solution, nous voyons clairement ce qu'il faut faire. Il faut exécuter un autre mouvement si l'on veut progresser vers la solution, et on peut facilement ajouter à notre arbre deux autres noeuds.

Nous n'avons développé que le côté gauche de l'arbre; nous verrons plus loin ce qui arriverait si nous développions le noeud droit.

Les nouveaux noeuds remplissent-ils toutes les conditions spécifiées dans l'énoncé?

Une rapide vérification nous assure que oui.

Figure 63E

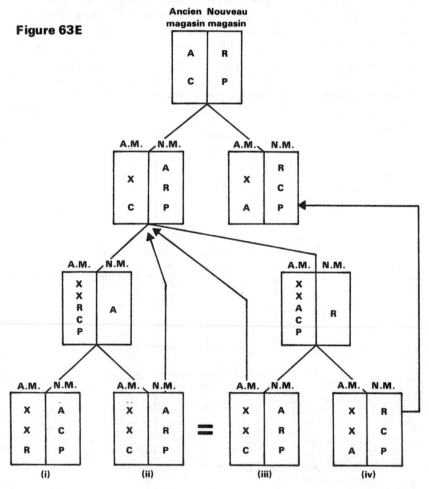

L'étape suivante consiste à voir ce qui se produit lorsque vous retournez au nouveau magasin en prenant un des vendeurs expérimentés avec vous, ce qui veut dire que chacun des deux noeuds peut être découpé en quatre autres noeuds.

À ce niveau, l'arbre peut être simplifié. Première chose à remarquer: les noeuds (ii) et (iii) sont identiques, ce qui pourrait impliquer qu'on n'en considère qu'*un seul*. Mais comme ils sont aussi équivalents au noeud situé deux paliers plus haut (indiqué par les flèches), développer l'un ou l'autre des deux équivaudrait à reculer de deux paliers dans la solution du problème.

Lorsque vous construisez un arbre de solution, voici une règle à suivre: éliminez les noeuds identiques à d'autres noeuds qui les précèdent, puisque les développer signifierait reculer par rapport à l'énoncé du problème. Vous devez toujours aller de l'avant, pour vous rapprocher de la solution. Si nous nous fions à cette règle, nous pouvons donc nous débarrasser aussi du noeud (iv).

Si, enfreignant la règle, vous essayiez de développer ces noeuds, vous verriez rapidement qu'il est impossible de le faire en respectant les conditions contenues dans les données — personnel sans surveillance, ou plus de cinq personnes sur les lieux.

Il ne vous reste donc que le noeud (i) à développer, et vous obtenez immédiatement le mouvement à faire, et par conséquent la solution.

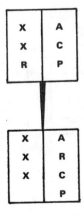

Figure 63F

Grâce à l'arbre de solution, vous avez pu tracer une ligne qui vous a conduit directement à la solution. Vous avez pu également vérifier à chaque étape de la progression les déductions précédentes et voir tout de suite si les conditions étaient respectées et si votre raisonnement était logique. Il ne vous reste plus qu'à rédiger la formule de déplacement du personnel en suivant la progression de votre arbre.

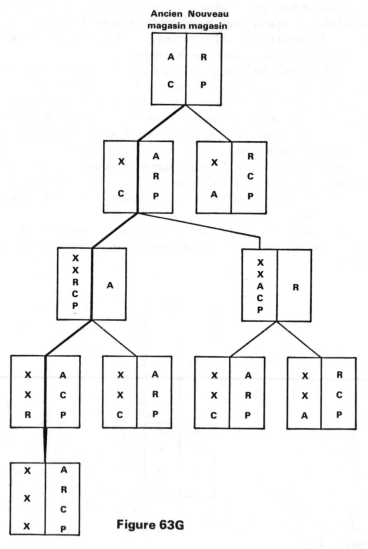

Figure 63G

214

La voie qui mène à la solution est tracée en gras.

Voici comment présenter la solution:

Vous amenez Robert au nouveau magasin, laissant Alfred et Charles s'occuper des affaires de l'ancien magasin. Après que Robert a reçu sa formation, Alfred est transféré, et un nouveau vendeur est recruté pour travailler dans l'ancien magasin.

Vous retournez vous-même dans l'ancien magasin, en prenant Robert avec vous, et en laissant Alfred seul pendant qu'un autre nouveau vendeur reçoit sa formation. Vous retournez ensuite au nouveau magasin avec Charles où vous lui donnerez la formation requise, et vous laissez Robert dans l'ancien magasin en compagnie des deux jeunes vendeurs.

Enfin, Robert est transféré dans le nouveau magasin, et les trois jeunes vendeurs sont laissés seuls dans l'ancien magasin.

Revenons à présent au noeud qui n'a pas été développé (voir figure 63E). Il illustrait la situation suivante: Charles est transféré dans le nouveau magasin, où il vient rejoindre Robert; un nouveau vendeur a été formé et reste dans l'ancien magasin.

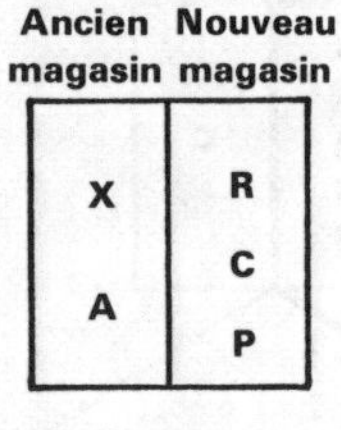

Ancien magasin	Nouveau magasin
X	R
	C
A	P

Figure 63H

Ce point de départ peut-il également conduire à une solution valable? Pour vous exercer à construire un arbre de solution, développez ce noeud et voyez ce qui se produit.

Rappelez-vous que vous devez toujours progresser vers la solution, et ne jamais régresser. N'oubliez pas non plus d'élaguer l'arbre si nécessaire. Pour vous faciliter la tâche, confrontez chaque noeud de votre arbre à ceux de l'arbre que nous avons élaboré.

Une fois votre arbre complété, suivant les conditions stipulées, vérifiez s'il est bien construit en vous reportant à la réponse en fin de section.

Quel que soit votre type d'approche personnel, vous verrez que l'arbre de solution est une méthode supérieure à toute autre, pour résoudre les problèmes de type convergent. Le type d'arbre que nous développerons à la section suivante correspond mieux à l'approche intuitive et globale des pilotes d'hélicoptère.

Un autre arbre de solution

Comme vous pouvez le voir, cette solution satisfait également aux conditions du problème. Après être retourné à l'ancien magasin avec Robert, laissant Charles seul pour s'occuper du nouveau magasin, vous formez un deuxième nouveau vendeur avant de retourner au nouveau magasin en compagnie d'Alfred pour qu'il se familiarise avec

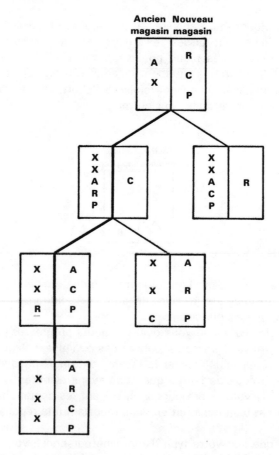

Figure 63 I

son nouveau contexte de travail. Vous repartez une dernière fois pour former un dernier jeune vendeur avant de repartir pour de bon au nouveau magasin avec Robert. Ce parcours respecte toutes les conditions des données, et n'est pas plus compliqué ni moins direct que l'autre.

Le fait qu'il y ait deux façons valables de résoudre ce problème ne doit pas vous surprendre, car nous avons déjà mentionné que les problèmes de type convergent n'ont qu'une seule *bonne réponse*, mais qu'il existe cependant plusieurs chemins pour y arriver. Dans certains cas, les solutions sont équivalentes, dans d'autres, certaines s'avèrent plus directes et plus rapides. N'oubliez pas d'éliminer toute étape superflue pour arriver à la réponse le plus rapidement possible.

Exercices

À l'aide de la technique du découpage créatif, élaborez les arbres de solution correspondant aux problèmes ci-dessous. Assurez-vous d'avoir bien identifié les données, les opérations et les objectifs avant de commencer. Vous trouverez nos arbres de solution à la fin de cette section.

Voici le moment de mettre à l'épreuve votre habileté à résoudre des problèmes convergents.

Problème no 1

La figure 64 illustre la situation suivante: trois cargos appartenant chacun à une compagnie différente traversent un canal étroit (A) pour atteindre les quais de déchargement (C). Une fois engagés dans le passage, les commandants sont informés qu'ils ne peuvent accoster ou s'immobiliser que dans les parties du canal appartenant à leurs compagnies respectives. Ce qui signifie qu'ils devront accoster dans l'ordre inverse où ils se sont engagés dans le canal. Étant donné le peu d'espace disponible, ils doivent manoeuvrer en utilisant un second bras du canal (B), lui aussi régi par les mêmes règlements. En d'autres termes, le Navire 1 ne peut pas aller plus loin que la Zone Un, mais le Navire 3 a la permission de traverser les Zones Un et Deux pour rejoindre sa position d'ancrage.

Construisez un arbre de solution pour déterminer la série de manoeuvres à faire tout en respectant les conditions stipulées dans l'énoncé. Il serait inutile de construire un arbre complet; la tâche serait trop longue et compliquée. Vous pouvez trouver la solution en ne développant que quelques parties de l'arbre. Et rappelez-vous qu'il faut éliminer les noeuds qui soit se répètent, soit vous font régresser. Comme pour le problème des vendeurs, nous vous suggérons de représenter les navires et les parties du canal par des abréviations. Par exemple, le Navire 3 allant du canal jusqu'aux docks (C) peut simplement être représenté par 3-C.

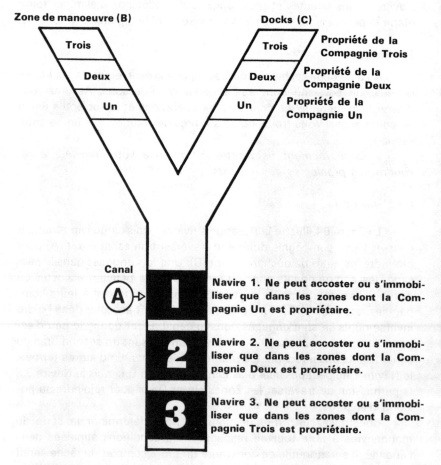

Figure 64

Problème no 2

Vous allez prendre de grandes vacances, et avez décidé d'aller voir trois vieux amis de collège. Ces derniers vivent dans les villes de Brentston, Camberly et Dalwood. Comme ces villes sont assez éloignées les unes des autres, vous voulez prendre la route la plus courte pour ne passer qu'une fois chez chaque ami, en commençant et en finissant votre voyage dans votre ville, Aldbury. La carte ci-dessous indique les routes qui mènent aux quatre villes ainsi que les distances en kilomètres qui les séparent. Ex: Camberly est située à 160 km de Dalwood.

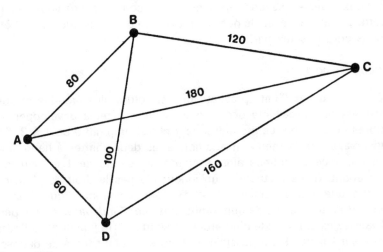

Figure 65

Formez un arbre de solution qui indique tous les circuits possibles, commençant et se terminant à Aldbury. Dans quel ordre devriez-vous rendre visite à vos amis pour être sûr de parcourir le moins de kilomètres?

Problème no 3

Un ami vous propose de jouer avec lui à un jeu apparemment simple. Deux joueurs sont assis face à face et disposent au début de la partie d'une seule pile de pièces placée entre eux. Celui qui commence doit diviser la pile en deux autres plus petites. Les piles peuvent avoir la hauteur que vous voulez, à condition qu'elles soient inégales. Le deuxième joueur divise alors une des piles en deux, et les joueurs continuent ainsi jusqu'à ce que chaque pile ne contienne qu'une pièce ou deux, et ne puisse plus par conséquent être divisée. Le premier joueur qui se trouve devant cette situation perd la partie et son adversaire garde toutes les pièces. Étant donné que votre ami aime jouer avec des pièces en or de cinquante dollars, vous décidez qu'une étude systématique et rigoureuse du jeu s'impose. Faites un arbre de solution pour analyser le cas où les deux joueurs commencent avec une pile de sept pièces. Quel joueur a l'avantage, celui qui joue le premier ou l'autre? Si vous ouvrez le jeu, quel coup devez-vous éviter? Si vous jouez en second, en combien de coups pouvez-vous assurer votre victoire? Quel est le nombre maximum de coups qui peuvent être joués en une seule partie?

Problème no 4

Le jeu des "huit" présente une structure plus étendue et vous donnera une excellente occasion de vous exercer à développer des arbres de solution. Le premier joueur choisit un chiffre de 1 à 3. Son adversaire fait de même et additionne les deux chiffres à haute voix. Chaque joueur continue ainsi à ajouter un chiffre de 1 à 3 au total précédent. Seule restriction: un joueur n'a pas le droit de choisir le chiffre que son adversaire vient d'utiliser. Le premier qui réussit à obtenir un total exact de huit gagne la partie. S'il *dépasse* huit, il perd. Analysez ce jeu à l'aide d'un arbre de solution. Un joueur a-t-il l'avantage sur l'autre? Est-il possible de perdre en étant forcé de dépasser huit?

Vous trouverez nos réponses ci-dessous.

Réponses aux problèmes convergents

Problème no 1

L'arbre ci-après démontre comment utiliser cette technique pour trouver le chemin le plus rapide à la solution. Bien qu'il y ait plusieurs façons de résoudre ce problème, la plus courte compte sept manoeuvres indiquées par les traits gras. L'arbre vous permet ici de prendre note des culs-de-sac auxquels vous vous êtes heurtés une fois et de ne plus vous y engager.

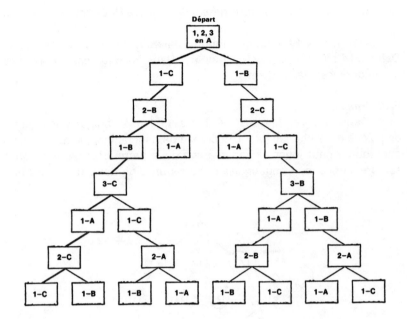

Figure 66

Problème no 2

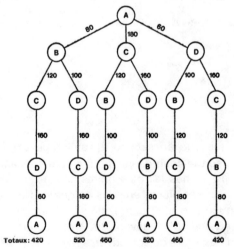

Totaux: 420   520   460   520   460   420

Figure 67

221

Comme l'indique l'arbre de solution, il y a deux routes qui vous permettent de réduire au minimum la distance à parcourir. Ce sont les trajets: Aldbury-Brentston-Camberly-Dalwood-Aldbury et Aldbury-Dalwood-Camberly-Brentston-Aldbury. Dans les deux cas, la distance à parcourir est de 420 km.

Problème no 3
Dans l'arbre ci-dessous, les chiffres encerclés indiquent le nombre de pièces dans chaque pile. La colonne de gauche indique quels coups quel joueur peut jouer à chaque étape de la partie. Par exemple, pour son premier coup, A peut choisir entre six-un, cinq-deux et quatre-trois.

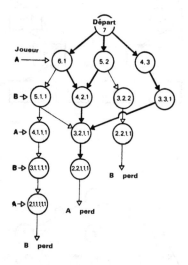

Figure 68

Le joueur qui joue en second à l'avantage car il peut encore gagner, quel que soit le coup de celui qui a commencé la partie. On le voit en suivant les flèches les plus noires. Celui qui joue en premier doit éviter de diviser ses pièces en piles de quatre-trois, car cela assurerait automatiquement la victoire de B. Comme l'indiquent les flèches le second joueur a devant lui trois séquences gagnantes suivant le coup d'ouverture de son adversaire. Le nombre maximum de coups est cinq, comme l'illustre la branche à l'extrême gauche.

Problème no 4
L'arbre indique la structure du jeu des "huit" en omettant les coups interdits. Les chiffres à l'intérieur des cercles représentent les totaux obtenus, ceux à l'extérieur indiquent le choix qui s'offre aux joueurs à chaque étape du jeu. Les carrés représentent les positions finales des joueurs (victoire ou défaite).

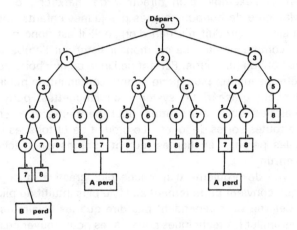

Figure 69

Comme l'indique l'arbre, le second joueur a l'avantage, car il garde toujours la possibilité de gagner indépendamment du premier chiffre choisi par son adversaire. Il y a trois cas où un des joueurs peut forcer l'autre à dépasser 8, comme l'indiquent les rectangles à la base de l'arbre.

Section quatre

COMMENT TRAITER LES PROBLÈMES DIVERGENTS

Les problèmes divergents n'ont jamais de solution unique. La clé du succès réside dans la recherche des solutions les moins évidentes et qui présentent souvent un degré élevé de créativité. Par exemple, le directeur de publicité à qui on demande de promouvoir un nouveau produit, doit trouver la meilleure façon de le rendre compétitif. Une campagne publicitaire peut être menée d'une infinité de façons, et on jugera les talents du directeur à la fois à son originalité et à l'efficacité de ses idées. En général, cela signifie être capable de dépasser l'information donnée et éviter les écueils que constitue, par exemple, la rigidité fonctionnelle dont nous avons parlé à la section un.

Prenons l'exemple d'un directeur de marketing qui doit promouvoir la vente de bonbons auprès des jeunes enfants. Bien que de bonne qualité, le produit n'a rien d'original; il est donc difficile de le présenter comme unique. La solution: insister sur l'emballage plutôt que sur le bonbon lui-même. Partant de l'idée qu'une boîte de bonbons pouvait être beaucoup plus qu'un simple contenant, le publiciste créa des boîtes qui grâce à un système de languettes, pouvaient être assemblées les unes aux autres pour permettre aux enfants de construire toutes sortes de jouets. Le produit battit tous les records de vente et les parents, enchantés, eurent l'impression d'acheter deux produits en un.

Ce type de problème d'approche plus créative et originale que méthodique convient parfaitement au style plus intuitif du pilote d'hélicoptère. Cela ne veut cependant pas dire que les éclaireurs ne pourront pas assimiler les techniques nécessaires pour trouver des solutions efficaces à ces problèmes.

Nous allons construire un arbre de solution pour un problème divergent, en examinant les travaux d'un des pionniers dans ce domaine, le Dr Karl Duncker[38]. Lorsque, il y a trente ans, celui-ci se pencha sur la question, un important problème clinique retenait l'attention de tous les chercheurs en médecine. Précisons que vous n'avez pas besoin d'être un spécialiste pour trouver de bonnes solutions aux problèmes que nous allons vous soumettre; il s'agit simplement d'un test pour mettre à l'épreuve votre habileté à trouver des solutions créatives à des situations très concrètes.

La tumeur à l'estomac

Un malade souffre d'une tumeur à l'estomac que les médecins jugent inopérable. Ils pourraient l'éliminer par des rayons; mais ceux-ci risquent d'endommager gravement les tissus sains qui entourent la tumeur. Ils doivent donc trouver un moyen de soigner la tumeur avec des radiations, sans endommager les tissus.

L'arbre de solution

Commençons par établir clairement la nature du problème, comme nous l'avons fait pour les problèmes convergents. C'est ce qui constitue la *formulation du problème.*

Formulation du problème	**Comment détruire une tumeur avec des radiations sans endommager les tissus sains qui l'entourent.**

Figure 70A

ꞋL'étape suivante consiste à développer une série de notions générales s'appliquant aux façons de traiter un problème de ce type. À ce stade, il n'est pas nécessaire de se soucier de l'aspect pratique des idées suggérées, on y reviendra ultérieurement.

Il s'agit de faire des propositions d'ordre général, des suggestions susceptibles d'être réalisables, même si elles semblent quelque peu bizarres. Voici deux idées couramment proposées dans un cas comme celui-ci.

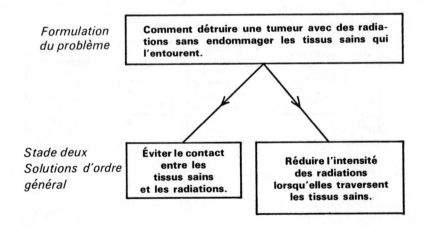

Figure 70B

Le stade trois est réservé à la recherche des *solutions pratiques.*
Ce sont des méthodes qui découlent des idées exposées dans les *solu-tions d'ordre général* et susceptibles d'être réalisées. Voici comment ces nouvelles données s'intègrent à l'arbre de solution.

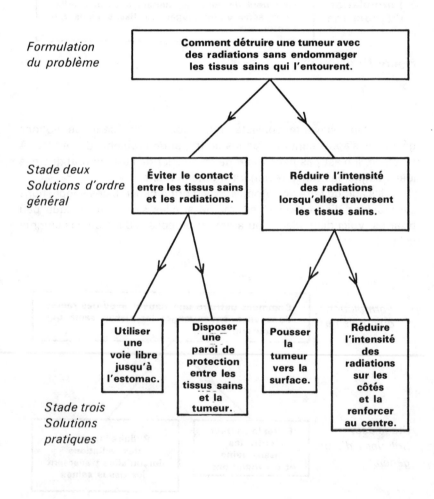

*Formulation
du problème*

Comment détruire une tumeur avec des radiations sans endommager les tissus sains qui l'entourent.

*Stade deux
Solutions d'ordre
général*

Éviter le contact entre les tissus sains et les radiations.

Réduire l'intensité des radiations lorsqu'elles traversent les tissus sains.

Utiliser une voie libre jusqu'à l'estomac.

Disposer une paroi de protection entre les tissus sains et la tumeur.

Pousser la tumeur vers la surface.

Réduire l'intensité des radiations sur les côtés et la renforcer au centre.

*Stade trois
Solutions
pratiques*

Figure 70C

226

Figure 70D

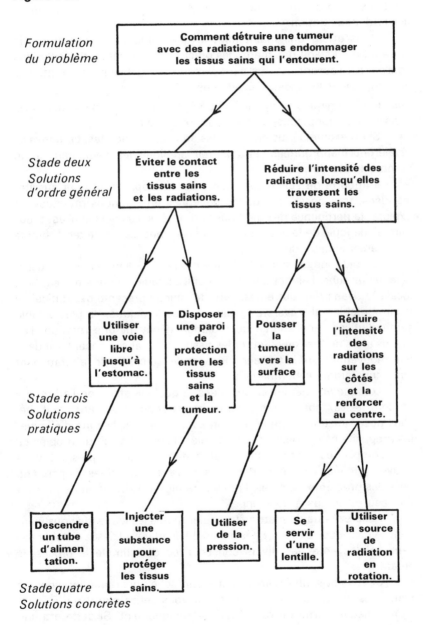

Signalons que la liste des idées émises aux stades deux et trois n'est pas exhaustive. Nous avons délibérément réduit l'arbre à deux solutions d'ordre général, et à quatre solutions pratiques pour simplifier la démonstration.

Nous atteignons maintenant le quatrième et dernier stade de notre arbre. Il s'agit des méthodes précises d'application des solutions émises. Ici, l'accent est mis sur l'élaboration de techniques pratiques qui reprennent les idées précédentes.

Les cinq techniques suggérées ici comptent parmi les plus courantes, mais la liste, rappelons-le, n'est pas exhaustive.

Si on examine plus en détail les solutions concrètes, certaines se révéleront inappropriées, et d'autres appliquables seulement à un nombre limité de patients.

Il importe de suivre ce schème de développement pour susciter les idées, transposer les notions générales en solutions pratiques, et explorer la pertinence des méthodes proposées. Le choix final est tributaire d'une foule de facteurs dont il n'est pas nécessaire de tenir compte aux stades initiaux du problème.

La méthode qui consiste à faire passer la radiation par la bouche, puis par un tube d'alimentation n'est efficace que pour une tumeur bien localisée. Dans tout autre cas, cette technique présente des difficultés insurmontables. Il s'avérera finalement que la solution la plus valable serait d'utiliser une source de radiation décrivant une rotation. Les rayons alors ne font qu'effleurer les tissus sains, et se concentrent dans leur mouvement sur la tumeur qui se trouve au centre de la rotation, et ainsi constamment bombardée.

Lorsque vous émettez des idées, à quelque stade de l'arbre que ce soit, laissez libre cours à votre imagination et à votre créativité, sans poser aucune limite. Vous aurez tout loisir par la suite d'éliminer les propositions qui ne sont pas valables. Lorsqu'il s'agit de problèmes très compliqués, votre arbre peut s'étendre sans limites, et vous pouvez y réfléchir pendant des jours, voire des semaines. Cependant, pour des problèmes simples, l'arbre sera plutôt restreint, et ne prendra que peu de temps à développer.

Assurez-vous de mettre sur papier toutes les idées qui vous viennent. Ainsi, vous ne risquez pas d'en oublier, et vous laissez s'établir des liens solides entre les divers concepts, ce qui stimule le processus créatif.

Si vous êtes un éclaireur, cette approche apparemment illogique peut vous mettre dans l'embarras, car vous seriez plutôt porté à explorer chaque partie du problème méthodiquement. Si cette attitude est compréhensible, elle est toutefois inadéquate. Comme le prouvent nos recherches, ainsi que celles d'autres psychologues, l'arbre de solution constitue la méthode la plus efficace pour stimuler la créativité et l'originalité. Lors d'un de nos ateliers, nous avons soumis à des groupes de pdg industriels des problèmes divergents d'un même niveau de complexité avant et après leur avoir appris à se servir de l'arbre de solution. Un jury fut chargé d'évaluer l'aspect pratique et créatif de leurs suggestions. On constata après quelques exercices une amélioration de 60 % côté originalité, et de 25 % côté pratique. De tels gains représentent un avantage considérable dans un monde difficile et hautement compétitif. Nous avons réalisé cette étude auprès de groupes très différents: scientifiques, professeurs, publicistes, directeurs de magasins, et chefs d'entreprises. Tous ont vu leur efficacité augmenter.

Nous espérons que ces résultats vous convaincront du bien-fondé de cette technique, et que vous l'adopterez pour résoudre tous ces types de problèmes. Si vous êtes du type pilote d'hélicoptère, cela vous permettra de canaliser au mieux vos aptitudes. Si vous êtes un éclaireur, vous y trouverez un enrichissement substantiel.

Afin de vous familiariser avec cette technique, nous vous proposons ici quelques problèmes. Vous en trouverez les solutions à la fin de cette section. Nous ne prétendons pas que ces dernières soient les meilleures, et il est possible que les vôtres soient plus originales.

Voici le moment de mettre à l'épreuve votre habileté à résoudre les problèmes divergents.

Problème no 1 : le dangereux espion

Nous aimerions que vous réfléchissiez au problème de Sherlock Holmes. Rafraîchissez-vous la mémoire en relisant les détails de la page 186 et voyez si vous pouvez faire aussi bien, et même mieux que le célèbre détective.

Vous n'avez pas à trouver comment Holmes s'y est pris pour fracasser le crâne de l'homme sans laisser de traces, mais vous serez sans doute curieux de comparer vos solutions. Il faut que vous trouviez une stratégie qui permette d'assassiner le prisonnier tout en respectant toutes les conditions posées dans l'énoncé. Soyez particulièrement attentif au fait que le décès doit rester un mystère total, et en aucun cas être récupéré politiquement.

Problème no 2: le naufragé

Un marin, unique survivant d'un naufrage, échoue sur une île déserte. La tempête a projeté le bateau sur un récif de corail, très éloigné des voies de navigation, ce qui diminue considérablement les chances de sauvetage. Le marin doit trouver une façon de signaler sa présence aux navires croisant à l'horizon, mais cela est plus facile à dire qu'à faire. L'île est plate, il n'y a donc pas d'endroit surélevé où installer un signal. De plus la provision de bois est limitée. La végétation de l'île se compose de bambou, que le naufragé peut utiliser pour se construire un abri; mais ce bois ne peut être utilisé pour construire un radeau. Le seul espoir du marin est par conséquent d'envoyer un message. C'est ici que nous avons besoin de votre aide. La tempête a laissé sur la plage trois malles en bois contenant des bouteilles de vin, un miroir cassé, plusieurs mètres de tissu léger, deux grosses pelotes de ficelle, et quelques dizaines de morceaux de liège. Le marin a sur lui une montre, et plusieurs stylos à bille, le tout en bon état.

Le naufragé a de quoi boire et manger. Il peut facilement tuer des tortues qui viennent régulièrement pondre leurs oeufs sur l'île, et il y a suffisamment de fruits et d'eau douce.

De quelles façons le marin peut-il résoudre son problème?

Problème no 3: les prisonniers politiques

Six prisonniers politiques s'évadent d'un camp de travail situé en pleine toundra couverte de neige, très loin des villes. Après avoir marché pendant plusieurs jours, la police et les gardiens à leurs trousses, ils arrivent à une rivière large et profonde qui marque la frontière entre leur pays et le territoire neutre dans lequel ils veulent se réfugier.

Il n'y a ni pont ni gué, ni aucun matériau permettant de construire un radeau. Des six hommes, un seul sait nager, mais affaibli par la course il ne pourrait faire plus d'un aller. Sur l'autre rive, au-delà des bords enneigés, il y a une forêt, et les arbres qui jonchent le sol pourraient fournir tout le bois nécessaire à la construction d'un radeau. La police et les gardiens ne sont qu'à trente minutes des prisonniers. Celui qui sait nager n'aurait donc pas le temps de traverser et de construire un radeau pour ses camarades. Sur la rive où ils se tiennent, il y a plusieurs grottes dans lesquelles ils pourraient se cacher, mais ils seraient vite trouvés par leurs poursuivants, et exécutés sur le champ. Quel serait le meilleur plan d'action?

Problème no 4 :
le trappeur et le grain

Un trappeur arrive à une cabane située dans les montagnes enneigées, pour commencer sa saison de chasse. Avant de quitter sa hutte l'année précédente, il a stocké des provisions, dont un gros sac de céréales, qui constitue sa nourriture principale.

Malheureusement, pendant son absence, un ours a défoncé la porte de sa cabane et déchiré plusieurs sacs. Le grain précieux est à présent mélangé au sable que le trappeur avait utilisé pour construire sa maison. S'il ne veut pas manquer de nourriture, il doit trouver un moyen de séparer les grains de céréales du sable. Il pourrait toujours se servir de son grand tamis, mais les trous sont beaucoup trop larges, et laisseraient passer le sable et les grains.

Il a en sa possession un poêle, du combustible et des allumettes, quelques casseroles, une carabine et des munitions, plusieurs mètres de corde, et une toile de plastique qu'il apporte pour garder ses provisions au sec lorsqu'il va camper. Comment le trappeur réussira-t-il à récupérer son grain?

N'essayez pas de résoudre ces problèmes sur le champ. Prenez quelques jours pour élaborer vos arbres de solution, afin d'examiner toutes les solutions possibles. Ces problèmes sont conçus pour vous exercer à construire des arbres de solution et pour évaluer votre originalité et votre créativité.

Vous pouvez maintenant passer à la section cinq, où nous vous dirons comment penser en génie, en apprenant à raisonner sans mots.

Réponses aux problèmes divergents
Nous ne reproduirons pas ici les arbres de solution qui nous ont permis de trouver les solutions à ces problèmes, car ils prendraient trop de place et pourraient vous embrouiller. Il est probable que vos arbres sont tout aussi complexes si vous avez exploré toutes les possibilités pour arriver à une solution satisfaisante.

Problème no 1 : le dangereux espion
Pour fracasser le crâne du prisonnier sans laisser de traces, Holmes a fait appel à un tireur d'élite qui s'est servi d'une puissante arbalète munie d'une pointe de glace. Le coup a atteint le prisonnier qui se tenait près des barreaux de la fenêtre, et la glace a fondu à la chaleur de la pièce, avant qu'on ne découvre le décès.

Nous avons déjà souligné qu'il n'est pas nécessaire que vous ayez trouvé la même solution pour qu'elle soit valable elle aussi.

Problème no 2: le naufragé

Notre arbre indique deux façons d'attirer l'attention qui nous semblent réalisables et efficaces. Le marin peut écrire des messages sur les bouts de tissu, ou sur des feuilles séchées, et les placer dans les bouteilles. Il pourrait ensuite attacher les bouteilles aux carapaces des tortues avec la ficelle dont il dispose. Pour que les tortues aient plus de chances d'être repérées par d'éventuels pêcheurs, il peut les relier à des flotteurs en liège, dans lesquels il aura planté une canne de bambou surmontée d'un drapeau confectionné avec la toile.

En plus d'envoyer ses messages sur l'eau, le marin peut aussi construire, à l'aide de cannes de bambou et de tissu, un cerf-volant assez solide pour entraîner dans les airs le miroir brisé, dont le reflets pourront être aperçus de l'horizon. En l'orientant à l'aide de sa ficelle, le naufragé pourrait même lancer des SOS en morse aux bateaux. S'il adopte les deux tactiques, notre malheureux marin double ses chances d'être secouru.

Problème no 3: les prisonniers politiques

Les problèmes 3 et 4 mentionnent un élément commun: *la neige*. Nous voulions voir si vous tomberiez ou non dans le piège de la rigidité fonctionnelle. Dans le premier cas, la neige n'est que de la neige, mais dans le second cas, la solution que nous privilégions exige qu'on considère cet élément d'une façon particulière.

Voici la solution que nous avons trouvée au problème des prisonniers politiques. Les cinq qui ne savent pas nager se cachent tandis que l'autre traverse la rivière et se rend dans la forêt. Il revient à la rivière en marchant à reculons et en suivant un autre trajet, jusqu'à ce qu'il soit dans l'eau. Il en ressort une deuxième fois, se dirige vers la forêt en laissant une troisième piste, puis, revient de reculons jusqu'à l'eau, en traçant une quatrième piste. Enfin, il marche de nouveau vers la forêt et en revient, laissant deux autres pistes sur la neige. Il va s'abriter sous les arbres en marchant dans ses traces de pas. De cette façon, il donne l'impression que six hommes sont sortis de l'eau et se sont dirigés vers la forêt.

Avant d'aller se cacher, les cinq prisonniers font des traces de pas de leur côté, puis longent le bord de la rivière en marchant dans l'eau. Quelques mètres plus loin, ils sortent de l'eau, effacent avec leur veste les traces qu'ils laissent derrière eux et vont se cacher dans les grottes.

Lorsque les policiers arrivent, ils voient six pistes menant à la rivière, et six autres sur la rive opposée. Ils croient que les prisonniers ont franchi la frontière et abandonnent leurs recherches. Le prisonnier qui est dans la forêt a le temps de construire un radeau pour ses compagnons.

Problème no 4: le trappeur et le grain

Ce problème exige que deux fois l'on échappe à la rigidité fonctionnelle. Notre solution nous oblige à voir la neige en tant qu'*eau* et le tamis en tant que *récipient*.

Le trappeur construit un récipient à l'aide du tamis et de la feuille de plastique. Il le remplit d'eau obtenue en faisant fondre de la neige sur son poêle. Il jette le mélange grains-sable dans l'eau, il récupère ensuite les grains, qui flottent à la surface, tandis que le sable se dépose au fond du récipient. Il aurait pu, bien sûr, se servir de ses ustensiles de cuisine, mais cela aurait été beaucoup plus long, et moins efficace.

Section cinq

COMMENT RAISONNER
COMME UN GRAND GÉNIE

Albert Einstein est sans contredit l'un des plus grands savants de tous les temps. Sa théorie de la relativité a ébranlé les fondements même de la physique, et a bouleversé toutes les théories sur la nature de la matière. Son apport considérable à la science lui a valu le qualificatif de "génie". Cela ne signifie cependant pas que son cerveau était exceptionnel, ni unique, ou qu'il avait une intelligence hors du commun. À l'instar de nombreux grands chercheurs, ses résultats scolaires étaient moyens; il réussissait ses examens en étudiant à la dernière minute, et en se faisant aider par ses amis. Comme le souligne Banesh Hoffman[39], professeur de mathématiques à la City University de New York, et biographe d'Einstein, le père de la relativité ne possédait pas de don particulier pour les sciences. Selon Hoffman, ce qui le distinguait de ses collègues et en faisait un chercheur hors pair, c'était: "Cette magie sans laquelle la curiosité la plus passionnée reste inefficace: Einstein avait en lui la véritable magie qui transcende la logique."

233

Transcender la logique, voilà la clé du succès; car la logique ne peut pas tout résoudre à elle seule, et il arrive que les mots qui servent à formuler les propositions logiques se révèlent totalement inadéquats.

Les mots ont leurs limites

Que nous disions que la logique est parfois inefficace peut paraître paradoxale, étant donné l'accent que nous avons mis sur les réseaux de connaissances et les arbres de solution. Mais le paradoxe est plus apparent que réel, car à l'intérieur du système choisi, l'esprit a la liberté de fonctionner selon ses besoins. Ainsi, les liens que vous créez entre les éléments dans les réseaux de connaissances ne vous sont pas imposés de l'extérieur, ils proviennent de votre façon d'associer les différents aspects de la matière. Si, aux yeux des autres, ils paraissent illogiques cela n'a aucune importance, car ce qui compte, c'est qu'ils soient efficaces pour votre travail. De même, vous avez vu qu'il ne suffisait pas de déplacer les données contenues dans les noeuds d'un arbre de solution pour trouver automatiquement une réponse aux problèmes convergents ou divergents. Il est presque toujours nécessaire de trouver des idées qui vont au-delà de l'énoncé. Dans le problème des vendeurs, il fallait penser à faire *un double transfert* pour arriver à la solution. En fait, nous avons conçu ce problème en y incluant une difficulté que la seule construction d'un arbre ne suffisait pas à résoudre. Nous voulions que vous vous rendiez compte qu'un problème convergent peut rarement être résolu de façon mécanique, et qu'il faut y apporter de la créativité.
Toutes les techniques que nous avons décrites sont des moyens très efficaces. Elles sont constructives et rapides, vous évitent les risques de confusion et diminuent l'anxiété qui s'y rattache. Elles offrent la grille nécessaire à une progression logique, mais ne suffisent pas à vous donner les solutions. Savoir identifier les données, les opérations et les objectifs vous permet de simplifier des problèmes difficiles et d'éviter les erreurs de raisonnement. Ces techniques peuvent vous indiquer le chemin le plus court et le plus direct pour arriver à la solution, mais c'est votre intelligence qui doit prendre le relais. Bien que ces processus activent vos capacités intellectuelles, ils ne remplacent ni le raisonnement, ni la réflexion. De nombreux problèmes peuvent être résolus par la seule logique, mais dans certaines occasions, il est essentiel de suivre le chemin emprunté par Einstein, transcender la

logique, et puiser dans le potentiel de l'esprit qui dépasse le raisonnement et les frontières de la pensée conventionnelle.

Il faut laisser libre cours à vos idées, et apprendre à penser sans avoir recours aux mots.

"Les limites de mon langage sont les limites de mon monde", écrivait le philosophe Ludwig Wittgenstein[40], réfléchissant sur les rapports entre les idées et les mots qui servent à les exprimer. Ce problème a longtemps préoccupé les psychologues, les linguistes et les philosophes, étant donné la portée des pensées et des perceptions humaines. Si les mots donnent forme aux idées, plus qu'ils ne servent à les exprimer, cela signifie que la réalité n'existe pas indépendamment du langage. Des gens qui ne parlent pas la même langue n'auront pas la même conception du monde, puisque c'est la structure de leur langue qui définira leur perception du monde qui les entoure. Cela élimine également la possibilité de traduire des idées en d'autres langues.

C'est à ces conclusions qu'est arrivé B.L. Whorf[41], éminent linguiste américain, après avoir fait une étude minutieuse des langues parlées par les Indiens d'Amérique. Selon sa théorie, connue sous le nom d'hypothèse de la relativité linguistique, notre façon de penser est déterminée par la langue que nous parlons. Ainsi, un Esquimau dispose de dix-sept mots différents pour exprimer les états de la neige; ce sont là des subtilités qui nous échappent!

Analysant cette hypothèse, le psychologue J.B. Carroll[42] a étudié la façon dont deux groupes de jeunes enfants navajos classent des objets. Les deux groupes vivaient dans des réserves, mais l'un ne parlait que l'anglais, et l'autre le navajo. Une des caractéristiques de cette langue est le grand nombre de verbes; onze d'entre eux servent, par exemple, à exprimer la façon de prendre un objet. On utilise tel ou tel verbe selon le type d'objet; long, flexible, carré, rond, court, fin, etc. Signalons que même les très jeunes enfants connaissent tous ces mots et les utilisent de façon pertinente. Carroll cherchait donc à savoir si la richesse de ce vocabulaire qui met davantage l'accent sur la forme de l'objet influencerait la perception des enfants.

Il demanda aux deux groupes de classer plusieurs objets, que les enfants de cet âge classent habituellement par la couleur plutôt que par la forme. C'est d'ailleurs de cette façon que procédèrent les enfants parlant l'anglais. Quant à ceux qui ne parlaient que le navajo, ils classèrent les objets selon leurs formes, leur perception de l'environnement étant largement influencée par la nature de leur langue.

L'importance de ce débat ne réside pas dans la façon dont les mots *influencent* les idées, mais dans la façon dont ils nous *limitent*. Souvent à un certain niveau de pensée, au lieu de faire progresser le raisonnement, ils deviennent un obstacle à la compréhension et à la connaissance.

Le langage est, comme l'a démontré le linguiste américain Noam Chomsky[43], essentiellement une structure logique qui impose inévitablement ses schèmes logiques à la pensée humaine. Ainsi, si nous voulons *transcender la logique*, il est essentiel que nous développions une façon de penser et de concevoir des idées où le langage n'intervient pas. C'est exactement ce qu'Albert Einstein réussit à faire pour élaborer ses théories importantes, y compris celle de la relativité.

Les expériences d'Einstein sur l'esprit humain

Lorsqu'on lui demandait où se trouvait son laboratoire, Einstein montrait son stylo et disait: "Ici." Il aurait peut-être été plus juste qu'il désigne sa tête, car la majorité de ses découvertes sont le produit non pas d'expériences de physique faites en laboratoire, mais de déductions purement mentales. Sans ce travail intellectuel, il est peu probable qu'il ait pu apporter une contribution aussi exceptionnelle au monde de la physique. Comme le fait judicieusement remarquer Banesh Hoffman, l'aspect unique de la Théorie de la Relativité, c'est qu'elle ne suit pas de *tracé logique*. Sa vision du temps et de l'espace fut nécessairement conçue "d'une façon très largement spéculative" pour reprendre ses propres termes. Lorsqu'on lui demanda comment il était arrivé à l'état intellectuel nécessaire pour aboutir à sa découverte, il répondit qu'il avait simplement laissé passer dans son esprit toutes sortes d'idées et d'images. Ce n'est que lorsqu'il fut obligé de transcrire ces impressions mentales en un langage symbolique — mathématique ou linguistique — qu'il commença à avoir des difficultés.

Einstein est le grand maître de ces méthodes d'investigation non verbales.

"Lorsque j'examine mes façons de penser, écrivit-il un jour, j'en viens à la conclusion que le don de l'imagination a plus fait pour moi que mon talent à assimiler des connaissances positives[44]."

C'est à seize ans qu'il commença à adopter cette approche, lorsqu'il analysait les propriétés physiques de la lumière, réflexions qui formèrent plus tard le fondement de ses deux théories sur la relativité. Essayant de visualiser comment la lumière apparaîtrait si elle n'était pas "brouillée" par sa vitesse prodigieuse, Einstein s'imagina voyageant dans l'espace à bord d'un véhicule, longeant le rayon lumineux. Il construisit ainsi une image vivante qui l'amena à sa prodigieuse découverte des photons.

Plus tard, tentant de résoudre des problèmes d'ordre moléculaire par sa méthode non verbale, il fit sa stupéfiante découverte en observant le thé qu'il était en train de boire. Il imagina le thé comme un liquide sans structure, tandis que les molécules du morceau de sucre qu'il venait d'y ajouter lui apparaissaient comme une série de petites boules dures. Cette image l'amena à poser les équations expliquant exactement comment ces boules se répandraient dans le liquide, et en quoi cela changerait sa consistance.

Au début du siècle, Einstein réalisa une expérience mentale qui ébranla le monde de la physique. Il commençait à remettre en question la théorie de Newton sur la gravité, alors dogme incontesté. Il imagina qu'il était à bord d'un ascenseur, s'élançant dans l'espace, à une vitesse supérieure à celle de la lumière. Il visualisa une fente sur une des parois de l'ascenseur, qui projetait un rayon de lumière sur le mur opposé. C'est ainsi qu'il réalisa que si l'ascenseur se déplaçait à une vitesse suffisante, il pourrait parcourir une distance donnée dans le même temps que mettait le rayon à traverser la cage de l'ascenseur de sorte que du point de vue de l'observateur dans la cage, le rayon lumineux paraîtrait courbe.

Se basant sur ces expériences, Einstein publia un texte expliquant que la gravité est capable de courber la lumière. Bien que violemment contestée à l'époque, cette théorie radicale se vérifia plus tard lors d'une éclipse de soleil. Grâce à des calculs astronomiques très précis, les physiciens purent prouver que la lumière émise par une étoile lointaine se trouvait effectivement entraînée dans une courbe par l'attraction gravitationnelle du soleil.

Si l'on étudie les biographies des plus éminents penseurs, on s'aperçoit qu'Einstein ne fut pas le seul à réfléchir d'une manière non verbale. Le philosophe Descartes, des mathématiciens comme Georg Cantor, David Hilbert et Gottlob Frege — dont les recherches sont allées aux frontières des connaissances humaines — pensaient eux aussi en images plutôt qu'en symboles verbaux ou numériques, et c'est là une stratégie essentielle pour atteindre un haut rendement intellectuel.

Ces expériences mentales peuvent vous servir, même si vous n'êtes ni philosophe, ni mathématicien, ni physicien. C'est le principe qui importe, et c'est grâce à lui qu'Einstein a compris les lois de l'univers. Il vous servira également à améliorer votre façon de penser,

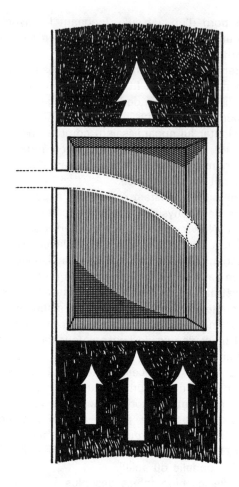

Figure 71

et vous aidera à résoudre des problèmes professionnels ou personnels, en vous fournissant des solutions auxquelles vous n'auriez pas pu songer autrement.

Nous avons fait pratiquer ces expériences mentales à des personnes de professions très différentes, en leur soumettant des problèmes complexes que la logique seule ne pouvait résoudre. Des experts indépendants évaluèrent leurs suggestions et les comparèrent aux idées émises par un autre groupe équivalent, mais qui n'avait reçu aucun entraînement. Les sujets du premier groupe émirent trois fois plus d'idées qui furent jugées deux fois plus efficaces et créatives que celles du second groupe.

Nous vous avons déjà parlé dans ce cours de la puissance des images sur la mémoire. Ce n'est qu'un des rôles qu'elles jouent dans la pensée humaine. En effet, les images permettent d'accéder à des domaines de l'esprit que les mots ne peuvent pénétrer.

On sait que le cerveau humain se compose de deux hémisphères distincts, qui sont reliés par un important réseau de tissus conjonctifs. Bien que ces hémisphères fonctionnent, sur de nombreux plans, comme une seule et même entité, on sait depuis longtemps que certaines activités ont leur siège dans un des deux hémisphères. En 1861 déjà, Paul Broca constata que des malades ayant subi des lésions à l'hémisphère gauche perdaient l'usage de la parole, et que des lésions du même genre dans l'autre hémisphère n'entraînaient pas ce type de handicap. En observant des sujets ayant subi des lésions soit accidentelles, soit dues à des attaques, on découvrit que la compréhension et l'expression verbales sont une fonction particulière au côté gauche du cortex, cette épaisse couche de cellules grises qui recouvre les parties moins développées du cerveau.

Grâce à une intervention chirurgicale destinée à apaiser les crises d'épilepsie aiguës, et qui consiste à sectionner le corpus callosum reliant les deux hémisphères, on put explorer les fonctions particulières de chaque hémisphère. Les sujets ayant subi cette déconnexion inter-hémisphérique fonctionnaient généralement aussi bien que des sujets normaux, quoique dans certains types d'activité, ils présentaient un comportement très différent.

Au cours d'une expérience type, le sujet opéré est assis devant un écran qui cache ses mains, tandis que le mot "noix" apparaît brièvement à gauche de l'écran. De sa main gauche, il peut facilement saisir la noix qui se trouve parmi d'autres objets, cachés eux aussi par l'écran, mais il ne peut pas *dire* au médecin quel mot est apparu devant ses yeux. Comment expliquer une telle situation?

Pour comprendre ce qui se passe chez une personne ayant subi ce type d'intervention, il faut considérer deux points importants concernant le fonctionnement du cerveau. Premièrement, le cerveau sépare l'information visuelle recueillie par les yeux, de telle sorte que les images captées par la moitié gauche de chaque oeil s'en vont dans la partie droite du cerveau, et vice versa. Deuxièmement, les fonctions de la main gauche sont contrôlées par l'hémisphère droit du cerveau, tandis que la droite est sous le contrôle de l'hémisphère gauche.

Lorsque notre sujet voit le mot "noix" à gauche de l'écran, cette information est transmise directement à la partie droite du cerveau qui, contrôlant la main gauche, lui permet de saisir l'objet voulu. Le sujet est cependant incapable de dire quel était le mot sur l'écran, car cette information ne peut pas passer à l'hémisphère gauche, qui est le siège de la parole.

La relation qui existe entre la physiologie du cerveau et les expériences mentales est importante: la dominance de l'hémisphère gauche (chez les droitiers) et son rôle essentiel en tant que centre du langage expliquent la prédominance des mots sur les pensées. C'est l'hémisphère gauche qui, semble-t-il, joue le rôle principal dans des activités logiques comme les mathématiques, les expériences scientifiques, l'écriture, le langage et la déduction. L'hémisphère droit est quant à lui relié à des processus tels que l'appréciation de la musique, l'imagination et l'expression artistique.

Lorsqu'on fait des expériences mentales, il est probable que l'on puise à même cet hémisphère non prédominant. Il est également possible que les gauchers, dont l'hémisphère droit domine, aient un penchant plus marqué pour l'imagination. Mais que vous soyez droitiers ou gauchers, penser sans mots est une aptitude que vous acquerrez sans difficulté, et qui vous aidera à aborder n'importe quel exercice intellectuel.

Comment utiliser les images mentales

Si on vous demande combien de pattes a un chien, vous répondrez immédiatement *quatre*. Si on vous demande quelle forme a la queue d'une tortue, vous marquerez certainement un temps d'arrêt avant de répondre, à moins bien sûr d'être un expert en la matière!

Ce temps d'arrêt vous est nécessaire, car vous utilisez une méthode différente pour la deuxième question. Pour la première, vous vous êtes servis de mots. Votre cerveau a simplement associé "chien" avec "quatre pattes", et a fourni la réponse voulue presque instantanément. Par contre, lorsque vous avez pensé à la tortue, vous avez probablement formé une image dans votre esprit, et vous avez mentalement examiné la tortue pour pouvoir donner une description de sa queue. Ce processus a donc pris plus de temps.

Il a sans doute été assez simple de faire surgir cette image mentale, mais il aurait été plus compliqué de soutenir cette visualisation plus longtemps, pour mieux "voir" les détails à l'arrière-plan.

Nous pouvons tous faire surgir des images sur demande, et très souvent garder cette image en tête pendant quelques secondes. Il suffit

240

donc de travailler cette aptitude pour développer une certaine maîtrise de la visualisation. Commencez par créer des images fortes, vivantes, et soutenues. Puis apprenez à vous en servir d'une façon constructive.

Nous vous conseillons de faire au moins une séance par jour, pendant les deux premières semaines.

Détendez-vous, soit en vous asseyant dans un fauteuil, soit en vous allongeant, et défaites vos vêtements. Enlevez vos chaussures, décroisez vos jambes, fermez légèrement les yeux, et respirez régulièrement et profondément. Le meilleur moment pour faire ce type d'expérience est cette brève période qui précède le sommeil, propice à des images mentales particulièrement frappantes, connues sous le nom d'images hypnagogiques.

Si votre journée a été particulièrement stressante, consacrez quelques minutes à vous détendre avant de commencer la séance. Pensez à chaque partie de votre corps en commençant par les pieds, et en remontant lentement jusqu'à la taille, les mains, les bras, les épaules et le visage. Prenez conscience des tensions et imaginez qu'elles disparaissent, comme l'eau qui s'en va dans le tuyau lorsqu'on enlève le bouchon du lavabo. Visualisez cette image aussi nettement que possible afin de rendre votre esprit et votre corps réceptifs.

Laissez à présent les images défiler, et ne faites aucun effort pour les chasser ou les remplacer. À ce stade-ci, contentez-vous de développer chaque image aussi clairement que possible. Remarquez les formes et les couleurs, et ajoutez des sons et des odeurs. Si vous imaginez une plage sous les tropiques, *sentez* la chaleur du sable sous vos pieds, et le soleil sur vos épaules, *respirez* l'arôme des fleurs et des embruns, *écoutez* le doux bruit des vagues et le vent dans les palmiers, et *voyez* la scène dans tous ses détails.

Une fois que vous aurez réussi à faire surgir des images vivantes, continuez l'exercice en maintenant les scènes de plus en plus longtemps. Vous verrez qu'au début votre cerveau vous envoie des "flashes" tous différents, qui ressemblent à un défilé de diapositives. Après quelques jours, tout en laissant les idées venir librement, vous commencerez à contrôler de plus en plus leur durée. Suivez ces deux techniques de base — images vivantes et rétention de plus en plus longue — la première semaine, ou les dix premiers jours. Chaque individu a son rythme propre, et vous devrez décider vous-même si le moment est arrivé de passer au troisième stade de l'expérience.

Vous devez maintenant donner l'ordre à votre cerveau de créer les images de votre choix. Commencez par contempler des scènes familières — chez vous ou à votre travail — que vous pouvez voir dans leurs moindres détails. Observez-vous comme faisant partie de la scène, écoutez les conversations autour de vous, touchez et goûtez "comme si vous y étiez". Tout en rendant l'image aussi vivante que possible, exercez-vous à la soutenir et à n'en changer que lorsque vous l'aurez décidé *consciemment*.

Une fois que vous pourrez contrôler entièrement la scène, vous serez capable d'appliquer cette visualisation à des problèmes pratiques. Voici trois façons dont nos clients ont mis ces expériences mentales en pratique:

1. Les problèmes personnels

Très souvent, les problèmes personnels sont les plus difficiles à résoudre car nous en sommes trop près, et manquons d'objectivité. C'est pourquoi nous hésitons à prendre telle ou telle décision. Si nous nous reportons aux trois éléments fondamentaux de tout problème, nous pouvons dire que notre connaissance des données est incertaine (les avons-nous bien interprétées, les avons-nous toutes considérées?), que nos réflexions concernant les opérations sont confuses (quelle décision sera la bonne?) et que nos objectifs manquent même de précision (qu'espérons-nous vraiment de telle situation?). Il serait inutile d'essayer de construire un arbre de solution étant donné le flou des données, mais nous pouvons faire une expérience mentale.

Entrez dans la scène où les éléments du problème apparaissent, et mettez au point un scénario plausible. Écoutez les mots et ressentez les émotions qu'ils suscitent. Observez-vous, ainsi que les autres gens présents, observez leurs réactions, et les vôtres. Si vous vous êtes exercé comme il faut à la technique, vous pourrez être à la fois acteur et spectateur. Lorsqu'une ouverture se présente, évaluez-en les avantages et les inconvénients, et concluez si les opérations effectuées vous ont amené au genre d'objectif souhaité. Sinon, retournez à la scène, en changeant les opérations, ou en vous servant d'autres données, pour arriver à un objectif différent.

Dans certaines circonstances, votre objectif de départ sera très clair; en ce cas, adoptez une variation de cette approche, qui peut s'appliquer à tous les domaines du comportement humain.

2. Comment atteindre les buts désirés

Il arrive souvent que nos clients nous soumettent des problèmes concernant la réalisation d'objectifs bien déterminés. Ils savent exactement où ils s'en vont, mais ne savent pas comment y aller. Il s'agit souvent de problèmes familiaux ou professionnels. Parmi les plus courants, on retrouve l'affirmation de soi, le respect de ses droits, le refus devant des demandes irraisonnables, une demande d'avancement ou une augmentation de salaire, pouvoir s'exprimer en public, remettre en question les décisions d'un supérieur, présenter ses vues à un partenaire et faire preuve de sa bonne foi, combattre l'agression des autres.

Le type d'expérience mentale qu'il faut faire ici commence par la réalisation satisfaisante de l'objectif. Si vous voulez demander un avancement, ou une augmentation de salaire, commencez la scène en visualisant votre demande. Imaginez ensuite la réponse de votre supérieur et la vôtre. De cette façon, il est possible de répéter une grande variété de réactions, et de trouver les façons de les traiter. Il se peut que dans le passé vous ayez accepté des remarques telles que "Nous en parlerons plus tard...", ou des signes d'agression vous ont éloigné de votre objectif. Cette expérience mentale destinée à vous faire trouver la solution, vous permet d'utiliser tous les commentaires que vous n'avez jamais exprimés, ou auxquels vous avez pensé trop tard. En établissant des opérations claires, et en les répétant pendant vos sessions de visualisation, votre cerveau saura exactement comment réagir dans des situations réelles. Ceci évite la confusion et vous permet de faire et de dire ce qui convient le mieux.

Il arrive aussi qu'on soit tellement angoissé par le fait de vouloir quelque chose qu'on ne fasse guère de tentatives pour l'obtenir. Les expériences mentales peuvent vous aider à résoudre ce genre de problème, en supprimant la tension physique et psychologique.

Le procédé qui sert à réduire l'anxiété ressemble sur plusieurs points aux expériences mentales habituelles. Vous devez commencer par vous voir, aussi clairement que possible, en train de vivre l'anxiété qui monte en vous. Sentez les peurs que cela provoque en vous. N'essayez pas de les réprimer, ou de prétendre que vous réussiriez à les vaincre dans la "vraie vie", *mais changez de scène avant d'atteindre un niveau élevé d'anxiété*. Dès que vous commencez à vous sentir tendu mentalement et physiquement, arrêtez la visualisation et détendez vos muscles, en suivant les méthodes de relaxation indiquées plus haut. Tout en vous détendant, évoquez des images apaisantes qui dissiperont les tensions mentales qui pourraient subsister. Certaines personnes aiment s'imaginer en train de bronzer sur une plage; d'autres préfèrent une scène champêtre reposante, ou s'imaginent confortablement assises en train d'écouter leur morceau de musique favori. Quelle que soit la scène que vous choisissiez, assurez-vous qu'elle soit très nette, et que vous soyez complètement absorbé par ce que vous voyez. Il faut que son effet bénéfique se fasse sentir dès le début du processus. Vous pouvez atteindre ce calme instantané en terminant chaque séance avec cette scène, en la ressentant pleinement, et en la soutenant pendant quelques instants.

Une fois que vous êtes mentalement et physiquement détendu revenez à votre situation, en l'explorant plus en détail. Arrêtez dès que l'anxiété commence à s'accumuler, et écartez vos craintes en vous détendant comme vous l'avez fait précédemment. Il vous faudra peut-être plusieurs séances pour réussir, mais vous parviendrez à affronter cette situation sans qu'elle vous cause une angoisse insurmontable. Lorsque vous aurez atteint ce stade, vous pourrez aborder la situation réelle en toute confiance, et la résoudre efficacement.

Utilisez ce type d'expérience mentale pour atteindre n'importe quel objectif désiré, et le transposer dans la réalité.

3. Comment résoudre des problèmes très complexes

Les images mentales peuvent vous amener à découvrir ce que vous n'auriez jamais découvert par d'autres moyens. Si vous êtes confronté à un problème technique complexe, et qu'aucune solution ne semble possible, cessez d'y réfléchir verbalement, et utilisez les images.

Pendant de nombreuses années, le chimiste allemand Friedrich Kekule essaya de résoudre le problème des structures chimiques. La découverte qu'il fit, et qu'on a décrite comme "la prédiction la plus brillante de toute l'histoire de la chimie organique[45]" est née d'une expérience mentale qu'il fit un soir avant de s'endormir.

Alors qu'il imaginait la structure du benzène, l'image très nette d'un serpent se mordant la queue surgit dans son esprit. Il ne semble pas y avoir de rapport évident entre un serprent et le benzène, et pourtant Kekule fit le lien dans son esprit. Il se rendit compte soudain que la structure atomique du benzène devait, à l'instar du serpent, avoir la forme d'un cercle. Aujourd'hui, les trois quarts de la chimie organique sont le produit direct ou indirect de cette idée.

Il existe de nombreux exemples similaires dans le domaine scientifique, qui semblent indiquer que la clé du succès réside dans les *images non dirigées*. En discutant des façons d'utiliser les images mentales à d'autres fins, nous avons insisté sur le fait que vous deviez contrôler les scènes évoquées. Le contraire est également vrai. N'essayez pas de censurer les images qui surgissent dans votre esprit. Programmez votre problème, puis étendez-vous et laissez votre esprit travailler, tout en observant bien les images qu'il produit, parce que l'une d'entre elles pourrait bien être l'indice qui vous conduira à la solution.

Lorsque vous pratiquez ce genre d'expérience, ayez toujours un bloc de papier et un stylo à côté de vous, ou mieux encore, un magnétophone. Dès que vous aurez une idée qui peut être utile, arrêtez l'expérience et notez vos pensées. N'attendez jamais la fin de la séance pour le faire, en espérant que vous vous en souviendrez.

Lorsqu'on parle des découvertes qui ont changé nos vies, et parfois celles de millions de personnes, on dit souvent que l'idée est venue d'un "éclair d'inspiration", qu'elle fut un "trait de génie". On parle alors du fruit d'une expérience mentale dont les savants ne sont probablement pas conscients sur le coup. Sachez que votre cerveau fonctionne très souvent de la même manière, surtout lorsque le sommeil le libère de la domination des mots. C'est pourquoi "dormir sur un problème" signifie souvent se réveiller avec la solution.

Mais vous n'aurez plus à recourir à cet application incontrôlable et hasardeuse du processus imaginatif. En faisant des expériences mentales une habitude de pensée, vous pourrez profiter de la puissance de votre imagination à volonté, et produire des idées qui vous aideront à comprendre et à résoudre les problèmes de toutes natures.

Cinquième étape

Comment prendre
de meilleures
décisions

Feriez-vous un détour pour économiser 5 $ sur un achat de 10 $? La plupart des gens interrogés pensent qu'une telle économie en vaut la peine. Par contre, lorsqu'on leur demande s'ils feraient le même détour pour éconimiser 5 $ sur une marchandise qui en vaut 500, très peu considèrent que cette économie serait intéressante. Étant donné que le montant économisé est exactement le même dans les deux cas, une telle décision est totalement illogique, même si elle paraît sensée.

Bon nombre des décisions que nous prenons sont tout aussi dépourvues de logique, et reposent sur des choix peu réfléchis. Étant donné l'importance vitale des prises de décisions dans une meilleure organisation du raisonnement, nous devions inclure à notre programme l'étude de ce processus. Nous allons vous montrer comment mieux décider, en suivant des programmes qui éliminent les "détours" et vous permettent d'évaluer l'information sur laquelle vous vous appuyerez pour faire objectivement votre choix.

Vous apprendrez qu'il existe dans ce domaine comme dans ceux de l'apprentissage et de la résolution de problèmes, des approches personnelles, et nous vous montrerons comment en profiter au maximum. Vous apprendrez également à évaluer votre personnalité, facteur primoridal dans la prise de décision. Enfin, nous considérerons les erreurs les plus courantes commises par les personnes non averties.

247

Section un

DE QUELLE FAÇON
PRENEZ-VOUS VOS DÉCISIONS?

Ici encore la première chose à faire est d'analyser comment votre style de pensée influence la façon dont vous prenez des décisions. Grâce au questionnaire suivant, illustrant sept situations types, vous n'aurez aucune difficulté à faire cette analyse.

1. Il est tôt, et vous vous préparez à partir travailler. Vous devrez passer une grande partie de la journée dehors, et bien qu'en ce moment le ciel soit dégagé, on annonce des risques d'averses. Vous avez déjà des paquets à porter, et un parapluie vous embarrasserait; d'autre part, vous ne voulez pas vous encombrer d'un imperméable. Laquelle des réflexions suivantes vous viendra le plus vraisemblablement à l'esprit avant de quitter votre domicile?

a. Même si on annonce des risques de pluie, le ciel me paraît bien dégagé, et c'est généralement un signe de beau temps. Je cours le risque et je laisse mon parapluie et mon imperméable à la maison.

b. Quand je n'emporte pas mon parapluie et mon imperméable, il pleut toujours. Je ne courrai pas le risque de me faire tremper, et je vais les prendre même s'ils m'embarrassent.

c. J'aurai l'air ridicule si je me fais tremper par la pluie. Mais d'un autre côté, je n'ai pas envie de m'encombrer inutilement s'il ne pleut pas. Je vais prendre mon parapluie en espérant qu'il me protégera suffisamment au cas où il y aurait de grosses averses.

2. Vous avez mis de côté un certain montant d'argent pour l'investir à la Bourse. Votre courtier vous indique trois différents types d'actions que vous pourriez acheter, en vous donnant les détails suivants:

Il y a un type d'actions très stables qui présentent un investissement sûr, mais peu de chances de faire un gros profit.

Il y a aussi des actions minières extrêmement spéculatives qui, au dire des experts, pourraient peut-être connaître une hausse spectaculaire dans les jours prochains. Mais si cette prévision ne se réalise pas, ces actions ne rapporteront rien.

Enfin, vous pouvez acheter des actions dans une petite industrie de fabrication dont le conseil d'administration prévoit le rachat par une multinationale. Le cas échéant, le prix montera; sinon, le prix restera stationnaire.

Considérant ces différentes possibilités, quelles seront vos réflexions?

a. Qui ne risque rien n'a rien. Je vais me fier aux experts et acheter les actions minières.

b. Avec ma chance habituelle, les actions ne monteront sûrement pas. Je vais donc opter pour la sécurité et acheter des actions stables; même si le profit n'est pas gros, au moins il est sûr.

c. Je déteste rater une bonne affaire. D'un autre côté, si je perds de l'argent je ne me le pardonnerai pas. Je choisis la petite entreprise de fabrication; même advenant le pire, je ne regretterai pas mon choix.

3. Vous venez d'être transféré par votre compagnie à l'autre bout du pays, et vous avez été obligé de mettre votre maison en vente pour 80 000 $. Comme vous avez dû pour acheter votre nouvelle maison emprunter à un taux d'intérêt élevé, il est important que vous vendiez la première aussi vite que possible. Bien que le prix que vous demandiez soit raisonnable, le marché immobilier connaît une baisse, et les maisons de votre quartier se vendent difficilement. Le jour suivant la mise en vente, un acheteur passe et vous offre 70 000 $ comptant. Si vous acceptez son offre, vous perdrez de l'argent. D'un autre côté, si vous n'arrivez pas à vendre d'ici deux ou trois mois, vous paierez plus que la différence en intérêts. Quelles seront vos réflexions?

a. Je serais stupide de perdre 10 000 $ quand je pourrais obtenir ce que je veux plus tard. Je refuse cette offre.

b. Je ferais mieux d'accepter cet argent, même si c'est moins que ce que je demandais, et inférieur à la valeur réelle de la maison. Avec ma chance et la crise, je devrai attendre longtemps avant de retrouver une offre semblable.

c. Si j'accepte cette offre, je le regretterai; d'un autre côté, si je refuse, et qu'on ne me fasse pas d'offre meilleure d'ici six mois, je le regretterai aussi. Je vais tâcher de retenir cet acheteur pendant quelques semaines, et entre-temps faire tout ce que je peux pour vendre la maison au prix que je veux. Si je n'ai pas l'air trop pressé de vendre, il augmentera peut-être un peu son prix, et au pire, j'aurai toujours un acheteur.

4. La prospérité de votre compagnie dépend en grande partie de la conduite, de l'enthousiasme et du succès de l'équipe des ventes. Une compagnie concurrente vient de congédier son meilleur vendeur; vous savez que son expérience, ses talents, et ses nombreux contacts seraient un important apport pour votre maison. Le seul ennui est que

vous n'arrivez pas à découvrir la raison de son renvoi. Sa version est qu'il y a eu conflit de personnalité entre lui et le nouveau directeur des ventes, mais la rumeur court qu'il pourrait y avoir d'autres raisons. Certains disent qu'il a un problème d'alcool et qu'on ne peut plus lui faire confiance, d'autres assurent qu'il a été pris en train de voler la compagnie et qu'il a évité de justesse les poursuites judiciaires. Après l'avoir interrogé, vous ne connaissez toujours pas la vérité, mais devez prendre une décision. Quelles seront vos réflexions?

a. Cela vaudrait la peine de courir le risque, parce que ce vendeur pourrait nous être très précieux, en admettant bien sûr que ces rumeurs sont fausses. Il est bien possible que ces racontars proviennent du directeur des ventes qui essaie de se venger de son ex-employé, et il faut toujours suivre son propre jugement lorsqu'on emploie du personnel.

b. Il serait fou de courir ce risque. Il n'y a pas de fumée sans feu, et même si ces histoires sont fausses, la raison de son renvoi est peut-être aussi sérieuse. Mieux vaut jouer sûr.

c. Il vaut mieux ne pas prendre une décision que je pourrais regretter plus tard. Si j'engage quelqu'un de malhonnête, l'erreur pourrait être grave; d'un autre côté, il serait stupide de laisser passer cette occasion si cet homme est honnête. Je ne veux pas qu'un concurrent puisse l'engager à ma place. Le mieux à faire est de lui dire que je lui donnerai ma réponse à la fin de la semaine. Entre-temps, je ferai ma petite enquête, et verrai si ce qu'on dit est vrai.

5. Après avoir quitté le collège, Jean se demande comment orienter ses études. Il pourrait aller dans une université de renom; le diplôme ne serait pas facile à obtenir, mais lui conférerait un énorme prestige intellectuel. Il pourrait aussi fréquenter une université moins reconnue; on y serait moins exigeant, mais le diplôme n'aurait pas le même poids. Jean a choisi le cours le plus difficile, mais on ne l'a pas accepté.

Pensez-vous:

a. Qu'il a bien choisi, en visant haut, et qu'il faut toujours rechercher ce qu'il y a de meilleur. Il a échoué, c'est dommage. Mais cela ne l'empêche pas d'essayer une autre université.

b. Il est le seul à blâmer, car il s'est surestimé, ce qui a toujours pour résultat l'échec et la déception.

c. Il aurait mieux fait d'envoyer sa candidature à plusieurs universités, pour éviter les déceptions. Il aurait ainsi pu trouver une université alliant un certain prestige à des cours mieux adaptés à ses aptitudes intellectuelles.

6. On vous doit 6000 $, et vous estimez que vous avez peu de chances de récupérer votre argent, étant donné que votre débiteur semble avoir très peu d'actif, et peu de chances d'obtenir la somme. Lorsque vous le rencontrez, il avoue franchement qu'il n'a presque pas d'argent, mais vous propose trois solutions. Il vous donnera tout l'argent qu'il possède, c'est-à-dire 3500 $ comme règlement total et définitif de sa dette. Par contre, étant joueur, il est prêt à faire un pari à pile ou face. S'il gagne, vous ne reverrez jamais votre argent, et lui remettrez une lettre à cet effet. Si vous gagnez, il se séparera de son seul bien de valeur, une montre en or qui appartenait à son père. Il pensait ne jamais devoir se séparer de cet héritage, mais accepterait de le faire. Après examen de la montre, vous réalisez qu'elle doit valoir au moins 10 000 $. Quelles seront vos réflexions?

a. Je cours le risque. Après tout, je ne perds que 3500 $, car il ne pourra jamais me donner plus, et je pourrai presque doubler mon investissement de départ si j'ai de la chance.

b. Avec ma chance, je suis sûr de perdre. Il est ridicule de risquer autant d'argent à pile ou face. J'accepte son offre de 3500 $, et dorénavant, je me méfierai davantage lorsque je prêterai de l'argent.

c. Aucune de ces propositions n'est acceptable. Quoi que je décide, je le regretterai. Si je gagne, j'aurai l'impression d'avoir profité de quelqu'un qui a des ennuis. Si je perds, je serai furieux d'avoir ainsi gaspillé autant d'argent. D'autre part, si j'accepte ses 3500 $, je ne pourrai m'empêcher de penser que j'aurais pu obtenir mieux. Je vais donc lui dire que ses offres ne m'intéressent pas, et qu'il doit trouver un moyen de payer sa dette en entier.

7. On vous a donné des tuyaux sur trois chevaux, dans des courses différentes. Comme c'est un bon ami qui vous les a fournis, et qu'il s'y connaît, vous décidez de parier 100 $ sur le premier cheval, qui gagne la course à dix contre un. Que déciderez-vous de faire pour les deux autres courses?

a. Je vais mettre mon argent sur le deuxième cheval, et s'il arrive premier, tout parier sur le troisième. Je serais fou de laisser passer la chance de faire un gain vraiment intéressant.

b. Je vais toucher mon argent et rentrer à la maison pendant que je gagne. Personne ne s'y connaît assez en chevaux pour prédire trois gagnants en file, et avec ma chance habituelle, je vais tout perdre.

c. Je vais mettre une partie de mes gains sur les deux chevaux suivants. Ça m'ennuierait de n'avoir pas parié s'ils arrivaient premiers. D'un autre côté, il serait stupide de perdre tous mes gains aux deux prochaines courses.

Faites le total des "a", des "b", et des "c", et notez quelle réponse revient le plus souvent. Si vous avez une majorité de "a", vous êtes un *maximaliste;* si vous avez une majorité de "b", vous êtes un *minimaliste;* et si vous avez une majorité de "c", vous êtes un *protecteur.*

Chacun de ces types d'approche comporte ses avantages et ses inconvénients qui doivent être pris en considération afin d'écarter toute confusion dans votre processus de décision. Sachant ce qui vous motive, vous vous assurerez que votre approche correspond bien à la situation donnée. Vous pourrez aussi identifier les tactiques utilisées par les autres, profiter de leurs points faibles, et évaluer leurs points forts.

Ce que révèle chaque approche

Le maximaliste

C'est le type même de la personne entreprenante, qui ne veut jamais perdre une occasion si elle lui semble intéressante. Les maximalistes sont toujours optimistes quant à leur capacité et à leur talent pour se sortir de situations même difficiles. S'ils commettent des erreurs, ils ne perdent pas de temps à se lamenter; au contraire, les erreurs sont considérées positivement, et serviront d'expériences enrichissantes qui permettront de ne plus se tromper à l'avenir.

Ils excellent dans les situations où, pour une raison ou pour une autre, aucune des solutions ne semble très attirante; les maximalistes savent en déceler le moindre aspect positif. Les possibilités qui pourraient s'avérer constructives leur sont immédiatement évidentes, et ils ne tiennent généralement pas compte des aspects négatifs de leur décision.

Ce type d'approche correspond particulièrement aux vendeurs, aux personnes qui travaillent dans les relations publiques, dans le monde de l'édition, et dans toute activité demandant un esprit d'entreprise et de l'intuition.

L'inconvénient de cette approche, c'est que les bons coups sont souvent suivis de pertes aussi importantes; ce qui expliquerait que les maximalistes semblent passer leur vie à osciller entre la gloire et les catastrophes.

252

Le minimaliste

Le souci majeur du minimaliste est de minimiser les risques. Il considère qu'il faut toujours s'attendre au pire, et opte donc pour des décisions qui auront les conséquences les moins dommageables. Cette approche convient à merveille aux situations à taux de risque élevé, où des pertes matérielles sont possibles: transactions monétaires, immobilières, etc. Si la situation tourne mal, non seulement la décision prise par le minimaliste s'avérera-t-elle la plus sûre, mais c'est finalement celle-là qui aura le plus de chances d'assurer un gain sinon spectaculaire du moins stable. Les minimalistes sont des personnes idéales pour diriger de grands projets, ou pour s'occuper de grosses sommes appartenant à d'autres personnes; car ils évitent de prendre des risques, si alléchantes que soient les chances de profits, et ne sont guère tentés par les propositions hautement spéculatives.

Cette approche étant, sous plusieurs aspects, opposée à celle du maximaliste, un conflit est toujours à craindre si ces deux types doivent prendre des décisions en commun. Le minimaliste cherche à éviter le pire, et le maximaliste insiste sur le fait qu'on ne peut faire progresser une affaire si on ne prend aucun risque.

L'inconvénient de cette approche, c'est qu'elle néglige des occasions valables. Car en voulant minimiser les pertes à tout prix, on laisse passer certaines occasions qui auraient pu être profitables.

Le protecteur

Comme son nom l'indique, le protecteur cherche à se protéger et à protéger les autres des regrets causés par une mauvaise décision. Contrairement au minimaliste qui cherche à réduire le plus possible les conséquences d'un échec, le protecteur cherche à se protéger contre les occasions perdues.

Des trois approches, c'est celle qui permet le mieux d'évaluer l'écart entre les résultats obtenus et ce qui aurait pu se passer si la décision avait été différente. Le protecteur se sent irrité et frustré d'avoir manqué certaines occasions, et il veut en même temps éviter le plus possible les regrets éventuels.

Les protecteurs prennent des décisions excellentes dans les situations où l'on ne dispose pas de suffisamment d'information pour savoir exactement ce qu'il vaut mieux faire. Dans le doute, ils adoptent une position intermédiaire qui s'avère souvent la plus sûre et la plus efficace. En cas d'erreur, les pertes sont réduites à un minimum, en cas de succès, on peut encore réaliser des gains substantiels.

Le questionnaire a été conçu pour illustrer chacune de ces trois approches. Lorsqu'il s'agit de parier sur des chevaux, le maximaliste risquera tout dans l'espoir de gagner beaucoup d'argent. Le minimaliste cherche à réduire les risques le plus possible, et se satisfait de son gain; il retourne chez lui après la première course. Pour le protecteur, ces solutions extrêmes risquent d'entraîner des regrets ou des remords. Il place donc une petite partie de ses gains sur le deuxième et le troisième cheval, se réservant ainsi la possibilité d'augmenter son gain, et éliminant le risque de tout perdre.

Si vous totalisez autant de chacune des lettres, cela signifie que vous êtes souple, et que vous savez vous adapter à différentes situations.

Un total de quatre-deux-un indique une souplesse modérée; trois-deux-deux, une grande capacité d'adaptation. Vous êtes capable d'identifier et d'utiliser l'approche la plus adaptée à la situation, et d'en changer suivant les circonstances.

Un total de quatre-trois-zéro indique qu'en plus de votre approche préférée (total de quatre) vous avez développé une autre approche à laquelle vous pouvez recourir lorsque la première se révèle inadéquate.

Si vous avez un "a" pour le choix de collège, un "b" pour l'achat d'actions, et un "c" pour le choix de l'imperméable, votre style est souple et vous pouvez changer de tactique suivant les besoins. Ces situations présentent un *choix conflictuel*, qui sera mieux assumé par le maximaliste; *un contexte à taux de risque élevé* qui requiert une approche minimaliste; et une *situation de doute* mieux adaptée au style du protecteur.

Toutes ces approches ont leurs avantages et leurs inconvénients. Il n'existe pas d'approche idéale. Il s'agit de vous adapter aux exigences de chaque situation.

Afin d'illustrer plus en détail ces différentes approches, nous allons assister à une réunion imaginaire, dans le bureau de la directrice d'une compagnie de cosmétiques, qui veut acheter une compagnie concurrente. La directrice, une brillante femme d'affaires qui a construit son empire à partir d'un petit commerce, et qui en a fait une compagnie de réputation internationale, pousse l'achat de l'autre compagnie. Maximaliste, elle a réalisé dans le passé quelques affaires capitales, et son audace terrifie ses collègues qui n'ont pas ses nerfs d'acier. Bien qu'elle ait eu sa part d'échecs, elle garde toute sa confiance et son enthousiasme et veut agrandir sa compagnie. Elle défend cet achat et a contre elle l'opposition forcenée des autres membres du conseil de direction. Le comptable de la compagnie, un minimaliste, désapprouve le projet et est prêt à défendre violemment son point de vue. Il est expérimenté et très capable, et son approche prudente a parfois assuré à la compagnie une stabilité dont elle avait bien besoin, mettant un frein aux spéculations maximalistes de la directrice. En d'autres occasions, cependant, sa prudence ne l'a pas servi, et a fait rater à la compagnie de bonnes occasions de faire de gros profits, ce que la directrice ne se prive pas de lui faire remarquer. À son tour, il peut aussi citer bon nombre de projets qui sont passés malgré ses avertissements, et qui ont coûté des sommes considérables à la compagnie.

Quant au secrétaire de la compagnie, c'est un protecteur dont l'approche vise toujours à empêcher ses collègues de prendre une décision qu'ils pourraient plus tard regretter. Dans le passé, son jugement équilibré s'est avéré très précieux, bien que son attitude modérée ennuie le minimaliste et irrite le maximaliste. C'est le secrétaire qui commence la discussion en résumant la proposition d'achat.

Protecteur: Comme vous le savez, la Compagnie X connaît des problèmes financiers depuis de nombreuses années, et semble prête à vendre. La plupart de ses installations sont démodées, les immeubles ont besoin d'être réparés, il y a un excédent de personnel, et la productivité est très basse; autant de facteurs qui ont sans nul doute contribué à ses difficultés actuelles. Cependant, la compagnie possède un certain nombre de brevets très intéressants et certains membres de son personnel le plus ancien, particulièrement dans les secteurs de la recherche et du développement, sont très talentueux. Il serait certainement à notre avantage de récupérer ces employés et de mettre sur le marché quelques marques de cette compagnie. L'ennui est que nous devrons aussi dépenser beaucoup d'argent pour une usine très ancienne et des locaux en très mauvais état.

Maximaliste: Vous savez ce que je pense à ce sujet. C'est une occasion que nous serions peu avisés de manquer. Le marché est en baisse en ce moment, et cela rend leurs produits moins intéressants. Mais une fois la récession passée, je suis certaine que nous enregistrerons une hausse sur toutes leurs gammes de produits. Si nous achetons maintenant, nous pourrons acquérir les talents et les brevets, qui ne se représenteront peut-être plus si la compagnie réussit à surmonter ses difficultés actuelles. J'admets que nous prendrons aussi une usine désuète et des immeubles sans valeur, mais nous pourrons les vendre, et nous pourrons également transférer le personnel dont nous avons besoin dans nos propres usines et dans nos laboratoires.

Minimaliste: C'est très bien en théorie, mais je prévois de graves difficultés pratiques. Comme vous l'avez si justement fait remarquer, nous allons acquérir une usine vétuste, et des bâtiments tout juste bons à être démolis. J'aimerais faire remarquer que nous ne nous contentons pas de les acheter, mais que nous allons aussi payer, et cher, pour les acquérir — un prix inutilement élevé à mon avis. Supposons que nous ne puissions revendre les bâtiments. Ils ne sont pas situés dans une zone qui permettrait de réutiliser le terrain à des fins résidentielles; d'autre part le coût de la démolition et de la reconstruction rendraient de nouvelles usines inabordables. Je ne vois aucune compagnie dans la situation économique que nous connaissons prête à nous en débarrasser. Nous continuerons donc à payer pour des bâtiments vides qui ne nous serviront à rien, dont personne d'autre ne veut, et qui feront une brèche énorme dans nos ressources. En ce qui concerne l'usine, la plupart des installations sont bonnes pour la ferraille; là encore, nous enregistrons une perte.

Que gagnerons-nous à part les brevets? Vous suggérez que nous prenions chez nous certains de leurs employés en recherche et en développement, mais qu'est-ce qui vous fait croire qu'ils sont prêts à travailler pour nous? Les employés de cette compagnie lui sont très fidèles, et je crains que beaucoup ne nous considèrent comme les "méchants" qui ont entraîné la ruine de leur entreprise. On m'a dit officieusement que beaucoup refuseraient nos offres d'emploi, aussi alléchantes soient-elles. N'oubliez pas que ces gens dont nous avons besoin ont des compétences qui leur permettent d'être engagés partout dans l'industrie. Nous resterons donc avec des bâtiments inutilisables, une usine qui ne vaut rien, et le personnel dont personne ne voudra. Je m'oppose violemment à cette décision et je répète que nous ne devons pas acheter.

Maximaliste: Comme toujours, vous nous brossez un tableau catastrophique, et vous faites une interprétation très négative de mes propositions. J'admets qu'à court terme nous pouvons avoir des ennuis avec les bâtiments, mais la récession ne sera pas éternelle et lorsque ça ira mieux, ces installations seront très recherchées. Nous n'avons pas besoin de démolir et de reconstruire. Des travaux de modernisation peuvent se faire à prix raisonnable; nous en ferions des propriétés commerciales intéressantes. L'usine est peut-être vieille, mais une grande partie est en parfait état et peut être sauvée. En ce qui concerne le personnel, il n'y a aucune raison de supposer qu'ils nous prendront pour des ogres, étant donné que les termes de l'achat sont honnêtes et justes, et que la communication est ouverte. Notre division des relations publiques est très douée pour ce genre de négociations, et il n'y a pas de raison qu'elle ne puisse faire accepter celle-la. Si nous faisons attention, nous aurons tout le personnel que nous voulons, et à un prix très raisonnable. N'oubliez pas que nous acquerrons également des brevets pour une gamme de produits qui se sont très bien vendus dans le passé.

Minimaliste: Mais qui ont baissé en popularité. Vous blâmez la crise, mais je pense que ces produits sont démodés et qu'ils sont boudés par le public.

Protecteur: Je suis d'accord qu'il serait peu raisonnable de laisser passer la chance d'acquérir des biens qui pourraient être bénéfiques à la croissance de notre compagnie. D'un autre côté, il me semble hasardeux de procéder tel qu'on l'a dit. Pourquoi acheter toute la compagnie pour mettre la main sur les brevets et sur un personnel expérimenté? Comme la compagnie est en difficulté, et que depuis quelque temps la majorité de leurs gammes se vend mal, ne seraient-ils pas prêts à vendre leurs brevets pour essayer de se sortir de l'ornière? Pour ce qui est du personnel, on a déjà souligné que notre service de relations publiques fait un très bon travail pour promouvoir l'image de la compagnie. Profitons-en pour attirer le personnel que nous voulons. Nous pouvons offrir des laboratoires plus modernes, des possibilités de loisirs plus intéressantes, un avenir plus sûr, un meilleur salaire... ce sont là des points suffisamment tentants pour attirer les employés que nous voulons sans avoir à dépenser de grosses sommes sur ce qui me semble superflu.

Maximaliste: Vous n'y êtes vraiment pas. Nous devons agir rapidement, avant que quelqu'un d'autre ne le fasse. D'accord, nous pourrions essayer d'acheter les brevets séparément, ou attirer les employés que nous voulons, nous pourrions profiter des difficultés de la compagnie... mais nous ne sommes pas les seuls intéressés. Si, au nom de la sécurité, nous n'agissons pas, quelqu'un d'autre va penser grand, et tout acheter sous notre nez. Je répète que nous devons décider d'acheter tout de suite.

Minimaliste: J'admets qu'une position intermédiaire n'est pas viable, parce qu'elle nous engagerait dans des négociations longues et coûteuses qui pourraient ne donner aucun résultat, et qui au mieux n'offriraient que des profits négligeables... un personnel dont la loyauté est discutable (si nos offres les tentent, qu'est-ce qui les empêche de trouver les offres des autres compagnies tout aussi alléchantes?) et des brevets pour des produits dont l'avenir commercial est également discutable. Je dis que nous devons oublier tout cela.

Protecteur: Je continue à penser que vous avez tous deux des vues extrémistes. Pourquoi abandonner la partie lorsque nous pouvons faire des profits sans vraiment courir de risques? Si nous laissons passer cette chance, nous le regretterons; d'autre part je suis certain aussi que nous regretterions un achat global. Je dis que nous devons rester modestes dans cette affaire, et n'acquérir que les actifs dont nous avons vraiment besoin.

Ce qui finalement fut décidé, et ce qui en résulta, nous ne le saurons jamais. Mais ce scénario illustre bien les différentes approches du processus de décision. Il illustre aussi la façon dont chaque style met l'accent sur certaines données et en négligent d'autres.

Rappelez-vous que votre propre démarche décisionnelle aura elle aussi un effet déterminant non seulement sur la façon dont vous ferez votre choix, mais aussi sur l'évaluation, l'appréciation et la sélection des informations sur lesquelles reposera ce jugement.

Il y a évidemment des façons d'éliminer les erreurs, et nous en parlerons dans la section trois, en vous montrant comment transformer des jugements subjectifs en des évaluations objectives. Mais avant cela, examinons un autre important facteur: le rôle que joue notre personnalité dans les choix que nous faisons.

Section deux

COMMENT NOTRE PERSONNALITÉ INFLUENCE NOS DÉCISIONS

Chaque fois que nous devons choisir entre différents moyens d'action, deux facteurs très importants retiendront avant tout notre attention. D'une part, quelle *probabilité* y a-t-il d'atteindre tel ou tel résultat; et d'autre part, jusqu'à quel point *désire-t-on* atteindre ce résultat. Ces deux éléments, probabilité et désirabilité, exercent une grande influence sur toutes nos décisions, et nous apprendrons, dans la section suivante, comment les évaluer d'une manière objective. Mais avant, il est important de comprendre comment certains aspects fondamentaux de votre personnalité sont capables de biaiser l'estimation que vous ferez de ces facteurs, et que seule une bonne connaissance du rôle que jouent vos émotions vous permettra de les évaluer efficacement.

Dans nos laboratoires de Londres, nous avons analysé comment choix et personnalité interagissent pour rendre certaines lignes de conduites plus ou moins probables et désirables. Nos découvertes correspondent dans l'ensemble à celles d'Orville Brim de la Child Study Association de New York[46], résultats dont nous parlerons dans un moment.

Avant de décrire ces recherches et d'expliquer quels aspects de la personnalité interviennent dans les prises de décisions, nous aimerions que vous évaluiez le rôle que jouent certains de vos traits de caractère dans les décisions que vous prenez. Lisez les dix phrases qui suivent, et notez celles qui correspondent à votre personnalité. Comme toujours dans ce genre d'évaluation, l'honnêteté est de rigueur.

1. Lorsque je prends une décision, je m'en remets à mon seul jugement.

2. Lorsque je prends une décision, je préfère écouter et suivre l'avis et les suggestions des autres.

3. Une fois que j'ai pris ma décision, je m'y conforme.

4. Je suis toujours prêt à changer d'avis si quelqu'un semble avoir une meilleure approche que la mienne.

5. Je considère que mon jugement est en général aussi bon, que celui des autres ou supérieur.

6. Je pense que mes jugements peuvent souvent être améliorés en écoutant l'avis des autres.

7. Je ne m'inquiète pas de ce que mon avis ne soit pas partagé, même si je dois m'opposer à la majorité.

8. J'ai plus confiance dans la justesse de mes opinions lorsqu'elles sont partagées par la majorité.

9. Je suis plus autonome que la plupart.

10. Je dépends beaucoup des autres.

11. Je pense qu'il est inutile d'écouter les autres lorsqu'on prend une décision.

12. Je trouve qu'il est utile d'écouter ce que les autres ont à dire avant de prendre une décision.

13. Je trouve que je m'exprime librement, et que mes émotions sortent spontanément.

14. J'ai tendance à contrôler mes émotions.

15. Je réagis fortement à l'humeur de ceux qui m'entourent; je me sens joyeux s'ils le sont, et triste s'ils le sont.

16. Je ne considère pas être fortement influencé par les émotions des autres.

17. Je me décrirais comme une personne émotive.

18. Je ne me décrirais pas comme une personne émotive.

19. J'ai de la sympathie pour les gens qui laissent voir leurs sentiments.

20. Je suis embarrassé lorsque les gens se montrent émotifs en ma présence.

Que disent vos résultats?

Tous les énoncés que vous avez cochés entre 1 et 12 et qui portent un numéro pair indiquent une certaine dépendance par rapport à l'avis des autres. Ceux que vous avez cochés et qui portent un numéro impair dénotent plutôt une certaine indépendance, une certaine autonomie de jugement. Dépendance et indépendance constituent les deux extrêmes entre lesquelles se situent différents types de comportements.

La plupart des gens se situent entre ces extrêmes, et vous avez probablement coché à la fois des énoncés pairs et des énoncés impairs. Une majorité des uns ou des autres indique que vous avez tendance à être plus, ou moins autonome lorsqu'il s'agit de prendre des décisions. Nous verrons plus loin ce que cela implique pour le genre de décision que vous êtes le plus souvent amené à prendre.

Notre recherche ainsi que celle du Dr Brim montrent que l'émotivité — qui est en soi une composante importante de la personnalité — influence aussi la prise de décision. Les énoncés 13 à 20 évaluent l'apport de cette composante dans vos prises de décisions. Comme vous l'aurez remarqué, les énoncés impairs dénotent une attitude généralement émotive, tandis que les nombres pairs indiquent que vous êtes plutôt porté à contrôler vos émotions.

Un nombre égal de réponses paires et impaires révèle un comportement très équilibré. Vous êtes probablement de ce type de personne capable de changer d'approche suivant les besoins. Nous vous conseillons de vous réévaluer périodiquement pour tenter d'identifier dans quelles circonstances vous pencherez vers l'une ou l'autre extrême. Reportez-vous alors aux explications et conseils qui suivent pour vos prises de décisions.

Une majorité d'une ou deux réponses paires ou impaires révèle déjà une *tendance* à vers l'une ou l'autre extrême. Plus la différence est petite, moins l'effet est important. Quoi qu'il en soit, vous auriez avantage à lire la description de la catégorie à laquelle vous appartenez. Plus la différence est accentuée, plus ce que nous exposons vous concerne, et plus il vous faudra suivre nos mises en garde.

Dépendance et prise de décision

Total plus élevé de nombres
impairs pour les énoncés 1 à 12

Plus vous êtes indépendant dans vos prises de décisions, plus votre approche est susceptible d'être ordonnée et systématique. Un aspect moins positif de ce trait de caractère est le haut degré de pessimisme qui l'accompagne. Notre recherche indique que les gens qui ne dépendent que d'eux-mêmes dans ce domaine affichent un degré de motivation plutôt faible et doutent de la probabilité de réalisation des options qui leur sont offertes. Pensant que les choses tourneront plutôt mal que bien, ils tentent de se protéger du pire en considérant le plus possible toutes les conséquences que leur décision pourrait entraîner. Résultat: une certaine confusion dans les choix ainsi qu'une sous-estimation de la désirabilité et de la probabilité de chaque résultat.

Dans la section suivante, lorsque nous mettrons des valeurs numériques à ces facteurs, vous trouverez sans doute que la structure logique du processus de décision que nous proposons convient à votre façon naturelle d'aborder toute pensée rationnelle. Cependant, faites attention de ne pas vous assigner des valeurs trop *basses*, et évitez de prendre en considération un trop grand nombre de conséquences possibles. Rappelez-vous le rôle important que joue votre personnalité dans vos prises de décisions, et développez une attitude plus optimiste en ne tenant pas compte des résultats improbables.

Total plus élevé de nombres
pairs pour les énoncés 1 à 12

Votre besoin d'être soutenu et rassuré indique que vous prenez le temps d'examiner un grand nombre d'opinions avant de prendre une

décision. Mais cela indique aussi que vous êtes habituellement optimiste quant à la probabilité et/ou à la désirabilité d'une issue particulière; ce qui peut vous porter à considérer un *trop petit nombre de
lignes de conduite.* Les recherches du Dr Brim aux États-Unis, et nos
propres études en Europe ont montré que les gens dépendants sont
souvent persuadés que leurs décisions tourneront à leur avantage, et
refusent d'envisager que les choses pourraient aussi bien tourner autrement. En se limitant ainsi à une ou deux solutions, on négligera d'en
examiner d'autres dont les résultats éventuels auraient à la fois été
plus probables et plus désirables.

Contrairement aux personnes indépendantes, les personnes
dépendantes évaluent leur information d'une façon plus intuitive que
logique. Elles préfèrent les pressentiments et la spontanéité à une
évaluation systématique des aspects positifs ou négatifs de chaque
possibilité. Les sentiments sont importants soit, mais ils ne doivent pas
contrôler la situation, ni "noyer" un jugement.

Pour élargir vos choix, vous devez prendre plus de temps de réflexion. En même temps, vous devez adopter une stratégie plus objective pour évaluer la probabilité et/ou la désirabilité de chaque résultat.
Dans la section suivante, nous expliquerons comment faire cette dis-
tinction en se basant sur une évaluation précise de la situation dans son
ensemble.

Émotions et prise de décision

*Total plus élevé de nombres
impairs pour les énoncés 13 à 20*

Si vous exprimez facilement vos émotions et réagissez à l'at-
mosphère qui vous entoure, vous avez probablement tendance soit à
surestimer, soit à sous-estimer la désirabilité et la probabilité de tel
ou tel résultat. Ou bien vous choisirez une solution à l'exclusion de
toute autre, ou bien vous les refuserez toutes. De même, votre objectif
pourra vous paraître très désirable, mais inaccessible — réaction qui
entraîne la frustration et la dépression, — ou hautement indésirable et
très probable, ce qui, si vous vous trompez, risque de vous faire négliger certaines précautions. Les jugements extrêmes conduisent
souvent à de mauvaises décisions, et dans certains cas à de graves
erreurs.

Des études ont aussi révélé que les personnes émotives n'ont pas
la notion du temps, et ont tendance à surestimer ou sous-estimer le

262

temps qu'il faudra pour que telle ligne de conduite aboutisse à tel résultat. Il arrivera ainsi qu'elles abandonnent une solution pourtant adéquate, dont elles avaient exagéré le temps de réalisation, ou qu'elles choisissent une solution irréalisable dans le temps imparti.

Plus votre total de nombres impairs est grand, plus votre émotivité influence vos prises de décisions.

En utilisant régulièrement les techniques décrites dans cette section, vous évaluerez plus efficacement les solutions qui s'offrent à vous et le temps dont vous disposez pour les mettre à exécution. En *sous-estimant* volontairement la désirabilité et la probabilité d'une certaine ligne de conduite, vous pouvez rééquilibrer un jugement extrême et un choix irréalisable. Nous vous enseignerons cette technique à la section trois.

Total plus élevé de nombres
pairs pour les énoncés 13 à 20

Plus votre total est élevé, plus vous désirez contrôler vos émotions et cacher vos sentiments. Ce facteur influence vos décisions parce qu'il vous fait sous-estimer les facteurs de probabilité et/ou de désirabilité.

Vous avez tendance à croire que les choses n'arriveront pas, et vous les considérez comme moins désirables qu'elles ne sont en réalité. Ceci vous amène à prendre de mauvaises décisions car vous ne profitez pas des chances qui vous sont offertes, et rejetez des décisions qui pourraient être très bénéfiques.

Afin de compenser cette tendance, vous devriez délibérément *surestimer* la probabilité de succès de certaines lignes de conduite, et considérer comme plus *désirables* qu'ils ne vous paraissent sur le moment, les résultats qui en découleront.

Nous vous montrerons à la section trois comment évaluer objectivement ces données en accordant à chaque solution une valeur numérique. Lorsque vous pratiquerez cette technique, rappelez-vous que vous devez légèrement augmenter vos notes.

Le tableau ci-dessous résume les inconvénients et les avantages inhérents à chaque type de personnalité, ainsi que les façons de surmonter leur influence négative. Nous vous suggérons d'y revenir lorsque vous ferez les exercices de la section suivante.

Comment risquer un choix

Un grand nombre des décisions que nous prenons chaque jour nécessitent peu d'efforts conscients. Ce sont des réactions plus ou

Tableau résumé de l'influence de la personnalité sur la prise de décision
(Vous référer à ce tableau au cours de votre étude de la section trois)

Votre total	Trait de personnalité	Effet sur les décisions	Précautions à prendre
Total plus élevé de nombres impairs pour les énoncés 1 à 12	*Indépendance.* Vous faites preuve d'indépendance dans vos prises de décisions.	Vous adoptez une approche systématique pour classer les données sur lesquelles repose votre décision.	Aucune. Cette approche correspond aux techniques que vous utiliserez à la section suivante.
		Vous êtes trop pessimiste dans votre évaluation de la probabilité et de la désirabilité de certains résultats.	Adoptez une approche plus optimiste dans l'évaluation de ces facteurs. Dans les exercices de la section suivante, attribuez-leur des notes plutôt hautes que basses.
		Voulant à tout prix vous protéger contre d'éventuelles conséquences négatives, vous considérez un trop grand nombre de lignes de conduite.	Limitez le nombre des lignes de conduite possibles, éliminez celles qui sont improbables.
Total plus élevé de nombres pairs pour les énoncés 1 à 12	*Dépendance:* Vous avez tendance à vous fier aux autres lorsque vous prenez une décision.	Vous basez vos choix sur une vaste gamme d'opinions, mais avez tendance à ne considérer qu'un petit nombre de lignes de conduite parce que vous êtes trop optimiste quant aux résultats.	Il est bon que vous sollicitiez un grand nombre d'opinions, mais élargissez votre choix de solutions. Ne croyez pas forcément qu'une ligne de conduite réussira.
		Vous vous fiez plus à votre intuition et à vos sentiments qu'à la logique pour évaluer l'information.	Servez-vous de votre intuition, mais n'excluez pas la logique.

Votre total	Trait de personnalité	Effet sur les décisions	Précautions à prendre
Total plus élevé de nombres impairs pour les énoncés 13 à 20	*Émotivité*: Vous exprimez vos émotions facilement et reflétez l'état d'esprit de votre entourage.	Vous avez tendance à avoir des opinions extrêmes quant à la probabilité ou la désirabilité de certaines lignes de conduite.	Évitez les jugements extrêmes lorsque vous évaluez l'information relative aux choix possibles.
		Vous n'avez pas la notion du temps et vous évaluez mal le temps qu'il faudra pour qu'une chose se réalise.	Les techniques décrites dans la section suivante vous aideront à développer votre notion du temps, en faisant travailler votre esprit systématiquement pour évaluer différentes lignes de conduite.
Total plus élevé de nombres pairs pour les énoncés 13 à 20	*Émotivité*: Vous préférez contrôler vos émotions et ne pas les montrer aux autres.	Vous avez tendance à sous-estimer la désirabilité et la probabilité des résultats éventuels. Ce qui rend inefficace votre évaluation des différentes lignes de conduite.	Lorsqu'à la section suivante, on vous demandera de noter le degré de probabilité et de désirabilité de certains résultats, hausser délibérément les notes pour compenser ce trait de caractère.

Rappel: plus votre résultat est élevé, dans un sens ou dans l'autre, plus vous subissez les influences décrites ci-dessus dans vos prises de décisions. Même s'il n'y a qu'une légère différence entre le total des nombres pairs et impairs, gardez cette tendance à l'esprit lorsque vous travaillerez les processus indiqués à la section suivante.

moins automatiques à des situations familières, et nous choisissons une ligne de conduite sans même nous rendre compte que nous avons dû examiner plusieurs possibilités pour poser tel ou tel geste. Lorsqu'on essaie de traverser une rue à grande circulation, notre cerveau évalue les conditions de la chaussée, la visibilité, la vitesse et la distance des voitures, ainsi que notre propre rapidité, avant que nous décidions si nous allons traverser en courant, en marchant, ou attendre.

Lorsqu'on commande un déjeuner dans un endroit très achalandé, il faut se décider vite, choisir d'après ses expériences précédentes, tout en essayant parfois un plat nouveau.

Dans ces deux cas, notre esprit a décidé quelle était la meilleure ligne de conduite à suivre, en se servant de deux composantes clés du processus de décision, la *désirabilité* et la *probabilité*, dont nous avons parlé à la section précédente.

Pendant que nous sommes sur le trottoir et regardons passer les voitures en attendant de traverser, notre cerveau calcule la probabilité d'atteindre en toute sécurité l'autre côté de la rue; et ce n'est qu'une fois ce résultat assuré, ou presque assuré, que nous agissons. Dans cette décision, le désir que nous avons de traverser la rue est généralement plus ou moins significatif. Nous voulons traverser pour atteindre un magasin, un bureau, ou l'entrée d'une maison, mais il importe habituellement peu de savoir précisément quand nous le ferons. Il existe cependant des circonstances où la désirabilité est si importante que nous nous contentons d'une probabilité plus faible d'atteindre notre objectif en toute sécurité. Supposons par exemple qu'une mère ait laissé son bébé dans son landau à la porte d'un magasin, puis qu'elle ait traversé la rue pour faire un achat dans une autre boutique. Au moment où elle sort, elle voit un étranger pousser la voiture d'enfant. Dans ses tentatives désespérées d'empêcher le rapt, elle se lance devant les voitures qui la frôlent et l'évitent de justesse. Sa décision de traverser la rue, à cet instant et de cette façon, est seulement dictée par son désir de sauver son enfant, et la probabilité d'arriver saine et sauve sur l'autre trottoir a plus ou moins d'importance.

Le midi, nous décidons de notre menu en évaluant à la fois le désir que nous avons d'un repas riche et savoureux et la probabilité que cela nous alourdira pour le restant de l'après-midi, et que cela nous fera grossir. Si cette probabilité est élevée, nous changerons de menu, même si nous désirons fortement ces mets. D'un autre côté, le désir peut être si grand que nous décidions de le satisfaire et de courir le risque de mal digérer et de prendre du poids.

Étant donné que nous évaluons ces deux facteurs plus ou moins de façon automatique, nous avons tendance à user de la même approche irréfléchie pour prendre des décisions qui demandent un examen attentif et une évaluation précise de ces facteurs essentiels. Quelle est la *probabilité* de réalisation d'un résultat donné si nous adoptons telle ligne de conduite? Avons-nous évalué correctement l'information, ou nous sommes-nous laissés égarer par un jugement subjectif?

Dans quelle mesure *désirons-nous* tel résultat? Encore une fois, avons-nous examiné attentivement la situation, et l'avons-nous évaluée objectivement?

Une évaluation objective, base même de toute décision rigoureuse, ne s'obtient jamais au hasard, ou en s'en remettant à la chance. Nous devons suivre une méthode précise pour analyser les solutions possibles. Cette technique s'appelle l'*arbre de décision*.

La structure de l'arbre de décision

Dans un arbre de décision, toutes les solutions possibles sont exposées, de sorte qu'on voit clairement chaque aspect du problème. L'arbre permet de vérifier les approches intuitives et les pressentiments, et d'évaluer les influences subjectives. Il vous laisse toute latitude pour suivre l'approche la plus adéquate, que vous soyez un maximaliste, un minimaliste ou un protecteur. Ainsi, vous pouvez améliorer de beaucoup la flexibilité de votre réponse, et adapter votre style d'approche aux besoins de la situation.

L'arbre n'est pas un moyen mécanique de produire des décisions à la file, en laissant de côté les sentiments ou l'intuition. L'important avantage de cette méthode est qu'elle inclut ces composantes essentielles dans le processus décisionnel, mais en les gardant *sous contrôle*. Vous utilisez vos émotions de manière créative, mais vous ne les laissez jamais prendre le pas sur des réflexions plus rigoureuses.

L'arbre de décision de Hamlet

Pour illustrer la croissance d'un arbre de décision, nous allons examiner le travail de deux spécialistes de renommée internationale dans le domaine de l'analyse décisionnelle, Desmond Graves et David Lethbridge, qui travaillent tous deux au Oxford Center for Management Studies[47]. Ces psychologues anglais ont utilisé la méthode de l'arbre de décision pour analyser le grand dilemme de la littérature: "Être ou de ne pas être..."

Quelle décision Hamlet devait-il prendre? Voyons de manière systématique quelles ont été ses réflexions, et notons les solutions qui s'offraient à lui à l'aide d'un diagramme représentant des branches qui partent du tronc:

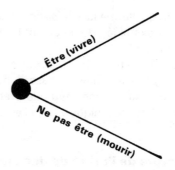

Figure 72

Chaque ligne de conduite entraîne une ou plusieurs conséquences, et l'étape suivante, pour cet arbre ou pour tout autre, consiste à décrire les résultats possibles. Pour Hamlet, vivre entraîne souffrir, et mourir entraîne le risque d'être tourmenté par des rêves:

Pour inclure ces conséquences, on ajoute à l'arbre deux lignes supplémentaires:

Car dans ce sommeil de la mort, quels rêves peuvent nous venir
Une fois désenchevêtrés de ces liens mortels,
Voilà qui doit nous arrêter.

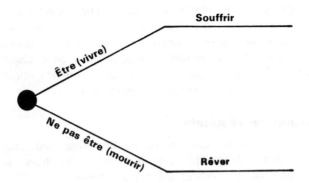

Figure 73

Mais Hamlet songe aussi que la mort lui apportera peut-être la paix qui lui a été refusée de son vivant:

Mourir. Dormir.
Pas davantage, et se dire que par un sommeil on met fin
À la peine de coeur, aux mille contusions du corps
Qui sont le lot de la chair, c'est une conclusion
À souhaiter dévotement!

Cette autre conséquence à sa mort s'ajoute à l'arbre, dont la structure est maintenant complète. Il comprend toutes les solutions et tous les résultats qu'Hamlet a pris en considération dans sa décision.

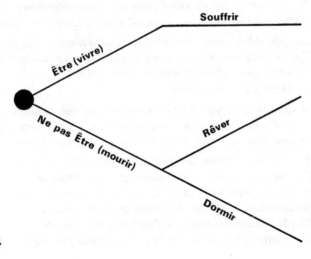

Figure 74

269

La décision d'Hamlet repose sur un choix limité. Son arbre est donc plus simple que ceux que l'on développe habituellement pour explorer toutes les lignes de conduite et leurs conséquences dans une situation réelle. Nous verrons ce type d'arbre de décision dans un moment, lorsque nous vous expliquerons comment appliquer cette technique aux décisions d'ordre professionnel.

Évaluation des résultats

Une fois la structure de l'arbre terminée, nous devons nous pencher sur la désirabilité et la probabilité des trois résultats en donnant une valeur numérique à chacun d'eux.

Évaluation de la désirabilité

Toute décision entraîne des résultats qui sont plus ou moins agréables. On peut les évaluer en utilisant des nombres positifs pour les résultats désirables, et des nombres négatifs pour des conséquences indésirables. L'échelle mise au point par Graves et Lethbridge va de + 6 à − 6, ces deux extrêmes s'appliquant aux résultats considérés comme extrêmement agréables ou totalement inacceptables.

Voyons comment Hamlet aurait pu appliquer cette théorie à son dilemme. Pour lui, une mort sans rêves est la meilleure issue qu'il puisse espérer, et il la considère comme *"une conclusion à souhaiter dévotement"*. Ceci suggère qu'il l'aurait cotée + 6 sur l'échelle de désirabilité.

Ce qui l'empêche de se suicider sur le champ est la pensée que sa mort serait hantée de rêves atroces jusqu'à la fin des temps:

Dormir. Rêver peut-être! eh oui, c'est le hic;
Car dans ce sommeil de la mort, quels rêves peuvent nous venir,
Une fois désenchevêtrés de ces liens mortels,
Voilà qui doit nous arrêter.

Il semble qu'il n'y ait pas de destin pire que celui-ci, et il l'aurait coté − 6. Hamlet considère donc la vie et ses souffrances préférables aux cauchemars qui pourraient le hanter une fois mort:

Si la terreur d'on ne sait quoi après la mort,
Ce pays inconnu dont la frontière ne voit repasser
Aucun voyageur, n'inquiétait pas notre volonté,
Nous faisant supporter les maux que nous avons
Plutôt que de s'enfuir vers d'autres qu'on ignore!
C'est ainsi que la réflexion fait de nous des pleutres.

Mais cela reste une solution moins désirable qu'une mort sans rêves:

Mourir. Dormir.
Pas davantage, et se dire que par un sommeil on met fin
À la peine de coeur, aux mille contusions du corps
Qui sont le lot de la chair, c'est une conclusion
À souhaiter dévotement!

Notons-la −3, pour indiquer une répugnance modérée.
Faisons maintenant un tableau de ces résultats:

Solutions	Résultats	Désirabilité
Être	Souffrir	− 3
Ne pas être	Rêver (purgatoire)	− 6
	Dormir (mort sans rêves)	+ 6

Une fois évalué le degré de désirabilité nous pouvons nous pencher sur le degré de probabilité de chaque résultat.

Évaluation de la probabilité

Comme il est rarement possible de connaître l'exact degré de probabilité d'un résultat, nous ne pouvons que le supposer. La meilleure méthode est de noter chaque résultat sur une échelle de 0 à 1.

Lorsqu'un résultat est certain, il est noté 1. Si vous estimez qu'il y a 50 % de chances qu'il se réalise, inscrivez 0,5. Si la probabilité semble très faible, accordez 0,2 ou 0,1.

En appliquant ce système à l'arbre de décision de Hamlet, nous voyons que ce dernier considère que la vie ne peut conduire qu'à un seul résultat: la souffrance. S'il reste en vie, il doit continuer à endurer *Les flèches et les coups de la Fortune hostile.*

Ce résultat est donc coté 1.

En examinant les conséquences possibles du suicide, nous devons peser les chances de mort absolue contre les risques de purgatoire. Une partie de ce dilemme provient du fait qu'Hamlet n'a aucune idée du degré de probabilité de chaque résultat, et qu'il semble considérer l'un et l'autre comme également réalisable, s'accordant sans doute 50 % de chances de rêver ou de dormir. Notons donc 0,5 pour chacun.

271

Voyons maintenant le tableau final de désirabilité et de probabilité:

Solutions	Résultats	Désirabilité	Probabilité
Être	Souffrir	−3	1
	Rêver	−6	0,5
Ne pas être	Dormir	+6	0,5

Si Hamlet avait favorablement regardé sa vie passée et tenu compte de son comportement vertueux, il aurait placé plus haut ses chances d'échapper au purgatoire, et noté une probabilité de 0,3 plutôt que de 0,5. Étant donné que la probabilité totale de tous les résultats d'une même ligne de conduite doit toujours être égale à 1, une probabilité réduite de devoir subir l'enfer des cauchemars entraîne automatiquement une probabilité accrue de connaître une mort sans rêves: soit 0,7 au lieu de 0,5. Cependant, la phrase *La réflexion fait de nous tous des pleutres* suggère qu'Hamlet se sent incapable d'adopter cette vue moins sombre.

Pour calculer quelle ligne de conduite serait la plus favorable, il suffit de multiplier ensemble le degré de désirabilité et de probabilité; on appelle le résultat ainsi obtenu la *valeur décisionnelle*. Plus elle est élevée, plus on aura intérêt à adopter la ligne de conduite qui s'y rattache. Voici ce qu'indique l'arbre de Hamlet en valeurs décisionnelles:

Solutions	Résultats.	Désirabilité	X Probabilité	= Valeur décisionnelle	Total
Être (Vivre)	Souffrir	−3	1	−3	−3
				total	−3
Ne pas être (Mourir)	Rêver	−6	0,5	−3	−3
	Dormir	+6	0,5	+3	+3
				total	0

Le tableau est clair; la ligne de conduite la plus logique, c'est le suicide. Le pire qui puisse arriver après la mort est de rêver (−6), mais cela est préférable à rester en vie et à souffrir; car bien que le taux de désirabilité de ce résultat soit plus élevé (−3), sa probabilité est beaucoup plus élevée, ce qui nous donne une valeur décisionnelle équivalente. N'oubliez pas qu'il s'agit d'impressions subjectives, et que Hamlet semble convaincu que rêve et sommeil ont autant de chances de survenir après le suicide. C'est pour cette raison, et à cause du taux beaucoup plus élevé de désirabilité d'un sommeil sans rêves (+6), que nous obtenons pour cette solution la valeur décisionnelle la plus favorable.

Vous aurez remarqué que les conséquences d'un suicide, cotées +3 et −3 totalisent zéro. Cette valeur neutre indique que le résultat n'est ni particulièrement désirable, ni particulièrement indésirable.

Comment auraient réagi le maximaliste, le minimaliste et le protecteur devant cet arbre? Les résultats auraient probablement été différents; chacun aurait mis l'accent sur certains aspects particuliers.

Le maximaliste aurait sans doute adopté une attitude optimiste: "J'irai probablement au paradis en dépit de mes fautes." Il aurait également pu se dire: "Après tout, ma vie n'a pas été si malhonnête. J'ai fait beaucoup de bonnes choses." Cette attitude l'aurait amené à considérer les "rêves" comme un résultat moins probable, qu'il aurait coté 0,2, accordant 0,8 à une mort sans rêves. Si l'on transpose cette évaluation en valeurs décisionnelles, on obtient:

Solutions	Résultats	Désira-bilité	× Proba-bilité	= Valeur décision-nelle	Total
Être	Souffrir	−3	0,5	−1,5	−1,5
Ne pas être	Rêver	−6	0,2	−1,2	−1,2
	Dormir	+6	0,8	+4,8	+4,8
					+3,6

Ici encore, la décision logique est le suicide, le maximaliste considérant que la mort est la meilleure façon d'éviter les souffrances de la vie.

Un minimaliste verrait sans doute le purgatoire comme un résultat plus probable qu'un sommeil sans rêves, mais estimerait que le suicide est une meilleure solution que la vie, puisque le repos sans rêves est toujours coté aussi haut:

Solutions	Résultats	Désirabi-lité ×	Probabi-lité	= Valeur décision-nelle	Total
Être	Souffrir	−5	1	−5	= −5
Ne pas être	Rêver	−6	0,8	−4,8	−4,8
	Dormir	+6	0,2	+1,2	+1,2
					= −3,6

Le protecteur conclut comme les autres que la mort est la meilleure solution aux souffrances de la vie.

Solutions	Résultats	Désirabi-lité ×	Probabi-lité	= Valeur décision-nelle	Total
Être	Souffrir	−2	1	−2	= −2
Ne pas être	Rêver	−6	0,5	−3	−3
	Dormir	+6	0,5	+3	+3
					0

Il existe bien sûr une quatrième possibilité, que nous n'avons pas pris en considération puisque Shakespeare n'a pas permis à Hamlet de le faire. C'est la vie sans souffrance. La décision de mourir ou non dépend alors de la désirabilité et de la probabilité d'une vie sans souffrance.

Solutions	Résultats	Désira-bilité ×	Proba-bilité	= Valeur décision-nelle	Total
Être	Souffrir	−3	0,5	−1,5	−1,5
	Ne pas souffrir	+6	0,5	+3	+3
					= +1,5
Ne pas être	Rêver	−6	0,5	−3	−3
	Dormir	+6	0,5	+3	+3
					0

Ici, la décision est de rester en vie en espérant une amélioration de la situation. Puisque Hamlet ne s'est pas suicidé, c'est qu'il a dû lui-même envisager la chose ainsi. Mais Shakespeare n'a pas pris la peine d'en parler.

Les recherches modernes indiquent que les gens prennent fréquemment des décisions en se basant sur des sentiments, des croyances et des opinions qu'ils ne veulent pas dévoiler. C'est un point qu'il faut se rappeler lorsqu'on construit ses propres arbres de décision. Ce que vous y notez ne sera connu que de vous; donc soyez franc avec vous-même, et inscrivez *tout* ce qui influence vos décisions, même si ce sont des sentiments que vous gardez généralement secrets.

Lorsque vous dessinez les branches de votre arbre, tâchez d'envisager le plus grand nombre possible de lignes de conduite, au moins *quatre* par arbre, même si elles ne sont pas toutes réalistes et pratiques. En augmentant le nombre des possibilités, il vous sera plus facile de faire ressortir celles qui sont viables. Cette technique convient particulièrement à ceux qui ont tendance à faire preuve d'autosuffisance dans leurs prises de décisions. Si par contre vous êtes du type dépendant, vous ne devriez pas avoir de difficulté à multiplier les choix, vous devrez d'ailleurs éliminer les actions et certaines lignes de conduite saugrenues ou inapplicables.

Pour illustrer le fonctionnement de l'arbre dans une décision d'ordre professionnel, nous allons examiner le cas du directeur d'une petite compagnie d'importation qui a acheté une grande quantité de jouets électroniques qu'il espère distribuer dans les grands magasins. Bien que la décision qu'il doit prendre soit loin d'être aussi dramatique que celle d'Hamlet, vous verrez que l'arbre qui la sous-tend est beaucoup plus complexe et élaboré. Tout en le détaillant, vous vous apercevrez que cette technique ordonnée et exhaustive résout rapidement et efficacement les difficultés. Assurez-vous que vous comprenez bien chaque palier de réflexion, particulièrement lorsque vous notez la valeur de désirabilité et de probabilité de chaque résultat attendu. Bien que cet arbre s'applique à une transaction commerciale, la même approche pourra servir à n'importe quelle décision d'ordre personnel ou professionnel.

Dilemme au Pays des Jouets

Éric est le directeur commercial d'une compagnie d'import-export. Il se demande quelle est la meilleure façon de mettre sur le marché les jouets électroniques qu'il a achetés en grandes quantités en période d'expansion; il craint de rester pris avec sa marchandise, étant donné le ralentissement des affaires. Il sait que la seule façon d'écouler ses jouets est de les solder à un ou deux grands magasins. Il a déjà travaillé avec eux dans le passé, il connaît personnellement les deux directeurs. Il pourrait en persuader un de l'aider, mais il sait que les deux magasins n'accepteront pas de présenter la même gamme de produits. La Compagnie A est son premier choix. La directrice des achats, Alice Martin, lui a déjà acheté ce genre de produits, qui d'ailleurs avait plu à ses clients; ces jouets sophistiqués et coûteux correspondent parfaitement au type de clientèle qui habite le quartier où est situé ce magasin. D'un autre côté, Éric s'entend mieux avec Alain Poirier, le directeur des achats de la Compagnie B. Il sait qu'il devra mener ses négociations avec un soin tout particulier. En effet, s'il offre sa marchandise à un des acheteurs et qu'il essuie un refus, il pourra difficilement se présenter chez l'autre. De plus, Alice et Alain sont des concurrents de longue date. Voici comment Éric a formulé son problème: "Je pense que je ferai une meilleure affaire en traitant avec Alice, car son magasin peut faire une très bonne promotion de mes jouets. Nous nous sommes toujours bien entendus, et si la première commande s'écoule bien, il est fort probable qu'elle en passera une deuxième. Mais voilà le problème. Je pense qu'Alain acceptera plus volontiers de prendre ma marchandise; par contre sa première commande ne sera pas très importante, et il hésitera à en faire une seconde étant donné la crise actuelle. Tout se sait très vite dans notre métier, et quelle que soit la compagnie avec laquelle je décide de faire affaire l'autre sera vite au courant de la chose.

"J'ai déjà fait de bonnes affaires avec Alice par le passé, et il est possible que si j'approche Alain en premier, et qu'il refuse, elle acceptera encore de prendre mes propositions en considération. Mais je crois que cela est peu probable. D'un autre côté, Alain ne peut pas supporter Alice, et si je vais la voir en premier, il est presque certain qu'il refusera de signer avec moi. Si je prends la mauvaise décision, et si je n'arrive à vendre ni à l'un ni à l'autre, je vais avoir beaucoup de mal à écouler ces jouets à un prix raisonnable, et je vais perdre beaucoup d'argent. Il n'existe pas d'autres magasins susceptibles de prendre ma marchandise. Je dois donc choisir entre Alice et Alain."

Ce genre de dilemme est typique dans le monde des affaires. C'est un problème qui comporte beaucoup d'incertitude et un certain risque. L'arbre de décision permet de réduire ces difficultés, et présente une vue plus objective de la situation.

Éric a donné une valeur de désirabilité à chaque résultat.

Solutions	Désirabilité
Vendre à Alain	+5
Vendre à Alice	+6
Ne vendre à aucun des deux	−6

Il doit ensuite évaluer quelle chance a son projet d'être reçu ou refusé par chaque acheteur. Voici à quoi il arrive:

Solutions	Probabilité		
Premier choix	Acceptation	Refus	Total
Essayer de faire affaire avec Alain	0,7	0,3	1
Essayer de faire affaire avec Alice	0,6	0,4	1

(Rappelez-vous que les cotes de probabilité d'acceptation ou de refus de chaque acheteur doivent totaliser 1.)

Enfin, Éric doit évaluer ses chances de persuader Alice ou Alain d'acheter sa marchandise, chacun sachant que l'autre a été approché en premier et a refusé la proposition. Éric se fie à son expérience passée, et fait les suppositions suivantes:

Solutions	Probabilité		
Second choix	Acceptation	Refus	Total
Essayer de faire affaire avec Alain	0,2	0,8	1
Essayer de faire affaire avec Alice	0,3	0,7	1

Éric construit ensuite l'arbre de décision illustré à la figure 75. La structure est plus étendue que celle du premier arbre, car il a pu, contrairement à Hamlet, envisager un second choix après avoir pris connaissance du résultat de son premier.

Pour connaître le taux de probabilité des résultats de ces seconds choix, Éric n'eut qu'à faire une simple multiplication. Voyons, par exemple, le risque qu'il court de ne faire aucune vente, parce qu'après avoir essuyé un refus de la part d'Alain, il doit affronter la fureur d'Alice qui elle aussi refuse son offre (illustré par la branche supérieure de l'arbre).

La valeur de probabilité se calcule en multipliant les risques d'un refus d'Alain (0,3) par la probabilité d'un refus d'Alice (0,7). Le résultat, 0,21, s'inscrit dans l'arbre, en haut de la colonne de probabilité. De même, en prenant les chances qu'Alice refuse l'affaire si elle est sollicitée en premier (0,4) et la probabilité qu'Alain accepte de signer le contrat après le refus d'Alice (0,2), nous obtenons une probabilité totale de (0,2 × 0,4) 0,08. Finalement, Éric calcule qu'il y a une probabilité de 0,32 d'échec complet s'il s'adresse à Alain après le refus d'Alice — la probabilité d'un refus de sa part à elle étant de 0,4 (× 0,8 = 0,32).

Pour arriver à sa valeur décisionnelle finale, Éric a utilisé une calculatrice qui a effectué quelques multiplications simples, suivies d'une petite addition. Comme l'indique l'arbre, la probabilité moyenne de réalisation des trois résultats possibles lorsqu'il s'adresse d'abord à Alain est de 2,78; et tombe à 2,08 si Alice est contactée la première.

Se basant sur cette analyse, Éric conclut que la meilleure chose à faire est d'offrir d'abord les jouets à Alain, même si au départ sa préférence allait à Alice.

Il est évidemment impossible d'être cent pour cent sûr que cette décision est la meilleure. Il se peut très bien que, contactée la première, Alice aurait accepté les jouets, et peut-être aussi à de meilleures conditions. Par contre, Alain n'aurait pas nécessairement décliné l'offre même si elle lui avait été faite en second. Toute décision comporte toujours un élément d'incertitude. Cependant, en suivant le processus systématique de l'arbre de décision, vous avez toutes les chances d'arriver au choix idéal, et ce pour quatre raisons importantes:

1. L'exercice qui consiste à donner des valeurs numériques à chaque aspect de la décision requiert une certaine attention, et vous empêche ainsi d'être distrait par des considérations plus générales et souvent inutiles. Ce processus clarifie les éléments clés qui entrent en ligne de compte, vous permet d'évaluer plus objectivement leur importance réelle, et, tout en vous faisant adopter une structure claire et logique, réduit l'anxiété inhérente à la prise de décision.

2. En construisant un arbre, les solutions et les résultats possibles deviennent explicites et plus faciles à manier que mentalement. Comme nous l'avons déjà expliqué, la mémoire à court terme est très vite saturée, et le cas échéant, confus, vous risquez fort d'oublier

Arbre de décision — Dilemme au Pays des Jouets

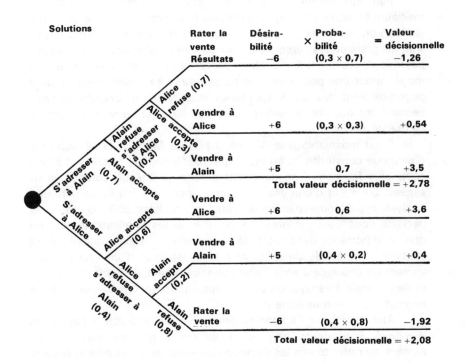

Figure 75

des points importants et d'aboutir à une décision qui ne tient pas compte de toutes les données.

3. Construire un arbre de décision stimule l'imagination et la réflexion, vous fait découvrir des possibilités originales, ou remarquer certaines solutions moins évidentes, ce que ne fait pas une approche non structurée.

4. Tout en vous permettant de tenir compte de vos préférences personnelles et de vos réactions émotives, l'arbre empêche les sentiments de noyer les raisonnements. Le fait de donner des valeurs numériques à la désirabilité et à la probabilité de chaque résultat n'élimine pas la spontanéité de votre choix, mais vous assure que vous prendrez une décision contrôlée.

Peut-être estimez-vous malgré tout que la conjecture est une meilleure tactique, plus rapide et moins mécanique que celle de l'arbre de décision. Peut-être pensez-vous également que dans bien des cas ce sont les préférences personnelles qui dictent la décision, et qu'il est impossible de les quantifier. Préférer Mozart au rock, ou le salami au fromage, aimer une personne plus qu'une autre sans savoir exactement pourquoi, sont des choix spontanés et personnels. Examinons rapidement ces objections parfois soulevées au sujet de la technique de l'arbre de décision.

Il est indéniable que décider à pile ou face est beaucoup plus rapide que construire un arbre, et que tout laisser au hasard est beaucoup plus facile que de donner des notes à chaque solution envisagées. S'il s'agit d'une décision sans importance, inutile de faire une analyse approfondie des conséquences possibles. Par contre, si la décision vous tient réellement à coeur et si ses implications ont une grande importance dans votre vie personnelle ou professionnelle, il est infiniment préférable de réfléchir à la question et d'analyser objectivement les choix; cela vous évitera ultérieurement, de perdre du temps, et de l'énergie à essayer de corriger les erreurs qu'une décision hâtive engendre immanquablement.

Afin d'analyser l'efficacité des arbres de décision, nous avons demandé à plusieurs pdg ayant assisté à quelques-uns de nos ateliers, de noter toutes les décisions importantes qu'ils prirent sur une période de six mois. Nous leur avons demandé de ne rien changer à leurs habitudes pendant les trois premiers mois de l'expérience; puis pendant les trois autres mois, de suivre la technique de l'arbre de décision chaque fois qu'ils auraient à prendre une décision importante. On mesura le succès de chacune des approches; cette analyse prit plusieurs jours: nombre de solutions envisagées, efficacité avec laquelle l'information fut évaluée, influence éventuelle de considérations erronées sur les résultats finaux, et degré de réussite relatif de chaque prise de décision. Même chez les sujets convaincus de faire preuve dans ce domaine une grande efficacité, les progrès furent importants, et particulièrement remarquables dans des situations présentant un haut degré d'incertitude, de confusion, ou d'implications émotives. Dans le premier cas, l'arbre permit de prendre en ligne de compte un plus grand nombre de solutions; dans le deuxième, il provoqua une compréhension plus rapide des aspects clés des données, et dans le dernier, il permit une appréciation nettement plus objective de la situation réelle. Un industriel expliqua comment il avait suivi cette méthode pour prendre la décision de fermer une succursale de son usine, devenue improductive.

"Pendant les trois premiers mois, je m'en suis tenu à ma décision de ne pas fermer, malgré des pertes importantes. Je m'étais convaincu que la succursale pourrait fonctionner et être productive lorsque la crise actuelle serait passée, et qu'une fermeture impliquait des licenciements que je ne désirais pas. Lorsque j'appliquai à ce problème la méthode de l'arbre de décision, je réalisai rapidement que ma première décision était surtout émotive. Cette usine appartenait à mon père, et j'y étais très attaché. L'arbre me montra que je devais fermer, mais je découvris également d'autres champs d'action qui minimisaient les conséquences d'une fermeture, des solutions me permettant d'étendre mon entreprise lorsque le marché serait plus favorable."

L'arbre de décision est un outil très efficace pour vous aider dans les choix difficiles et cruciaux. Exercez-vous en l'appliquant d'abord à des situations banales; vous comprendrez le processus dans son entier, et pourrez ensuite appliquer la technique à des décisions majeures. Rappelez-vous ce que nous avons dit à propos du rôle que joue la personnalité; examinez bien les trois types d'approche décrits précédemment, et suivez celui qui correspond le mieux à la situation. Méfiez-vous des pièges et des déductions fallacieuses. On les minimise trop facilement; or, ils entraînent inévitablement des erreurs. Nous en reparlerons dans la section suivante.

LES RISQUES CACHÉS
DE LA PRISE DE DÉCISION

On pense généralement que les groupes prennent des décisions plus prudentes et plus réfléchies que les individus. Il semble que certaines personnes entreprenantes et audacieuses perdent leur sens de l'initiative et deviennent très prudentes lorsqu'elles se retrouvent dans un groupe. Jusqu'à la fin des années 60, cette opinion était partagée par la plupart des psychologues. Or, une série d'expériences menées par James Stoner à l'Institut de Technologie du Massachussets[48], vint contredire cette opinion bien enracinée. Au cours de recherches qui s'étendent sur plus de quinze ans, James Stoner dégagea la notion de *déplacement du risque*, une composante de la décision collective que toute personne concernée devrait connaître et éviter. Personne ne peut expliquer ce qui la provoque, mais cette réaction joue un rôle très important. Loin de se montrer prudents et réservés dans leurs prises de décisions, les membres d'un groupe font des propositions comportant un taux de risque beaucoup plus élevé que s'ils décidaient individuellement.

Le Dr Stoner demanda d'abord à des sujets de décider individuellement comment devraient agir des personnages imaginaires impliqués dans différentes situations. Les sujets trouvèrent une série de solutions qui variaient selon le taux de risque et de gratification. Dans chaque cas, la gratification la plus haute était associée à un taux de risque encore plus élevé. Ensuite, on regroupa les sujets, et on leur demanda de prendre une décision commune concernant ces mêmes personnages.

Individuellement, la plupart des sujets avaient opté pour des décisions équilibrées, qui combinaient une gratification modeste à un taux de risque moyen. Par contre, en groupe, ils optèrent pour un taux élevé de risque, abandonnant la prudence pour choisir un haut taux de gratification. James Stoner découvrit que les choix de groupe était presque toujours plus risqués et qu'ils se révélaient téméraires et parfois d'une rare inconscience.

Afin d'éviter ces erreurs, protégez-vous en prenant ces trois précautions:

• Prévenez les membres du groupe; expliquez-leur en quoi consiste le déplacement du risque.

• Essayez de faire en sorte que chaque personne prenne une décision individuelle. Puis, assurez-vous qu'elle ne s'en éloigne pas trop lorsque la décision sera débattue en groupe.

• Enfin, préparez-vous à la discussion de groupe en réfléchissant à l'avance à votre propre décision. Utilisez l'arbre de solution pour trouver la solution la plus rationnelle et la plus pratique, et ne vous laissez pas influencer par un choix que vous auriez préalablement rejeté à cause d'un taux de risque trop élevé. N'oubliez jamais que les idées émises par un groupe ne sont pas nécessairement représentatives des décisions que les individus de ce groupe prendraient s'ils étaient seuls.

Le syndrome du joueur

On sait que le jeu requiert constamment une série de décisions très rapides comportant des risques considérables et une bonne part de doute. Cette activité engendre plus que n'importe quelle autre de mauvaises habitudes décisionnelles.

Transportons-nous dans un casino de Las Vegas, et voyons à l'oeuvre le *syndrome du joueur*, qui d'ailleurs ne se retrouve pas seulement dans les salles de jeu, mais dans toutes les situations où l'on doit prendre des décisions.

Marc joue à la roulette depuis deux heures. Comme il a perdu un assez gros montant d'argent, il a décidé d'arrêter et de regarder le jeu pour voir quels chiffres gagnaient le plus souvent. Les noirs sont sortis onze fois depuis, et Marc se tient le raisonnement suivant: "Les noirs n'arrêtent pas de sortir, et ça ne va sûrement pas durer. Je ferais mieux de mettre ma mise sur les rouges au prochain tour."

Bien que tous les joueurs de roulette perdent à la longue, étant donné la façon dont les casinos distribuent l'argent, Marc va pourtant perdre plus rapidement que les autres s'il s'en tient à sa façon de décider. Nous verrons pourquoi dans un moment, et nous allons examiner ici cette stratégie pour mieux comprendre comment elle repose sur des suppositions tout à fait inexactes.

La roulette n'a pas de mémoire, et ne tient pas le compte des couleurs qui gagnent et qui perdent. Les chances que les rouges sortent après une série de onze, onze cents ou de onze mille noirs sont exactement les mêmes qu'avant que la roulette n'ait commencé à tourner. En théorie, les chances devraient être égales; en pratique, elles sont légèrement inégales, pour assurer au casino de toujours faire un profit. Le principe est le même lorsqu'on joue à pile ou face, nous y reviendrons un peu plus loin — la pièce peut tomber face un million de fois, sa chance de tomber pile la fois suivante sera toujours de 50/50.

Vous pensez peut-être qu'en évitant les jeux de hasard vous ne commettrez jamais ce genre d'erreur. Détrompez-vous. Comme le prouvent les études réalisées par des psychologues sur les variations du syndrome du joueur dans toute sortes de situations comprenant un taux élévé de risque et/ou d'incertitude, nous y sommes tous exposés. Que pensez-vous, par exemple d'un homme d'affaires qui déclare: "J'ai perdu de l'argent dans ces quatre affaires, je vais donc avoir plus de chance pour la cinquième!", ou d'un cuisinier inexpérimenté qui se dit: "J'ai brûlé les trois derniers repas préparés sur cette nouvelle cuisi-nière, j'aurai donc plus de chance au prochain."

Dans ces deux cas, les personnes tombent dans le piège du syn-drome du joueur. Au lieu d'analyser leurs actes et de chercher une raison réaliste à leurs échecs, ils s'en remettent au hasard. Cela paraît l'évidence même, et pourtant, nous sommes convaincus que si vous êtes sincères, vous vous souviendrez certainement d'une occasion où vous avez pensé: "Les ennuis ne peuvent pas continuer toujours. La chance va sûrement me sourire bientôt." Si tel est le cas, vous êtes tombé dans le piège, et avez pris une décision non objective.

Celui qui devine part perdant

Les joueurs professionnels savent depuis toujours que, dans un jeu de hasard, la personne qui doit deviner n'a jamais l'avantage et qu'elle perdra toujours plus souvent que celle qui contrôle le jeu. Ils pré-tendent aussi qu'à pile ou face, c'est celui qui lance la pièce qui a l'avantage sur celui qui fait les paris.

Si cette idée est juste, elle comporte des implications importantes pour les décisions qui ont un haut degré de risque ou de doute, puisqu'il suffirait de forcer l'autre à prendre une décision pour avoir l'avantage dans la majorité des cas.

Afin d'évaluer s'il existe un fondement scientifique à ce désavan-tage, des psychologues ont étudié le jeu de pile ou face en se servant d'un ordinateur programmé pour présenter le mot "pile" ou "face" sur un écran de télévision. Grâce à l'ordinateur, on éliminait les risques de partialité, et on avait la certitude que les mots étaient vraiment présentés au hasard. On demanda aux sujets assis devant l'écran de deviner le mot qui allait sortir, en appuyant sur un des deux boutons juste avant qu'un flash n'apparaisse sur l'écran de télévision.

Si vous jouez à pile ou face, vous verrez qu'après plusieurs coups, le côté pile sera sorti aussi souvent que le côté face. Quiconque pariant au hasard sur le résultat pourrait donc s'attendre à deviner juste 50 fois sur 100. Tout résultat légèrement supérieur ou inférieur à cette proportion ne serait donc pas le fruit du hasard.

Revenons à notre expérience. Les mots "pile" et "face" apparaissent au hasard, et les sujets qui devineraient au hasard devraient trouver la réponse la moitié du temps. Les scientifiques ont trouvé que cela ne se vérifiait pas dans la pratique, car tous les sujets obtinrent un taux de réussite inférieur au taux prévu. Bien que sachant que pour réussir 50 fois sur 100, ils devaient appuyer au hasard sur les boutons, et s'y appliquèrent, ils obéirent à un schème décisionnel qui faisait partie de leur mode de raisonnement, et cela faussa les résultats. Ils essayèrent de distribuer les chances également, mais les résultats restèrent inégaux.

On pourrait avancer que le simple fait de connaître le rôle du syndrome du joueur suffit à expliquer l'effet obtenu. Par exemple, après que face soit sorti plusieurs fois, on s'attend à ce que le côté pile apparaisse, et cela influence la distribution des réponses. Le syndrome du joueur intervient très certainement et entraîne un schème de décision particulier. Mais ce n'est pas le seul facteur en cause. Lorsque les psychologues eurent contrôlé ce phénomène, ils s'aperçurent que les sujets continuaient à obtenir des résultats en-dessous du niveau de réussite. En d'autres termes, ces sujets suivaient un certain mode de raisonnement, et leurs décisions n'étaient pas dues au hasard.

Pour comprendre ces schèmes, essayez de ne *pas* penser au mot "loup" pendant trente secondes. Vous verrez que c'est presque impossible.

Un ordinateur peut produire des données au hasard, parce que ses "pensées" peuvent être changées à volonté. Mais nous ne pouvons pas, à quelque moment que ce soit de notre vie éveillée (ou de notre sommeil), couper le flot de nos pensées. C'est précisément ce tumulte d'idées, ce puissant courant mental qui dirige le cours de nos prises de décisions et lui donne sa forme. En d'autres termes, nous ne pouvons pas choisir les côtés pile ou face "au hasard". Le fait de deviner n'est pas une sélection faite au hasard. C'est plutôt le résultat d'une structure de réactions intellectuelles qui opère au niveau inconscient.

Le fait que celui qui devine soit au départ désavantagé est un phénomène intéressant, qui nous renseigne sur différents types de prises de décisions. Ce phénomène peut en effet enclencher une série de choix similaires qui ne tiennent compte ni de l'expérience ni du bon sens. Prenons l'exemple d'une femme qui épouse un homme brutal, qui réussit enfin à le quitter, et qui s'installe avec un autre homme aussi brutal que le premier. La personne répète le même modèle de décision et refait exactement les mêmes erreurs.

Dans les affaires, il est assez fréquent qu'une personne pourtant intelligente et sensée s'associe à des partenaires incompétents et malhonnêtes. Une fois qu'elle s'en est débarrassée, elle n'a pas sitôt remis l'affaire sur pied qu'elle s'associe de nouveau au même type de personne.

Ne négligez jamais les effets du syndrome du joueur lorsque vous êtes amené à prendre des décisions. Sachez que votre inconscient est très actif et très puissant. Si vous venez de prendre une série de mauvaises décisions récemment, ne tombez pas dans le piège de vous en prendre à votre mauvaise fortune. Cherchez la structure inhérente à vos prises de décisions, puis travaillez à en adopter une plus productive et plus efficace. De la même façon, n'attribuez pas à la chance une série de décisions "heureuses". Encore une fois, l'approche la plus réaliste et la plus enrichissante consiste à identifier les stratégies mentales qui ont guidé vos choix, et les résultats favorables qui les ont suivis.

Comment éliminer le hasard

Il existe toujours une certaine part de doute dans les décisions que nous prenons. Le fait que cette part d'incertitude soit plus ou moins importante dépend du degré de contrôle que vous pouvez imposer aux événements, et de votre connaissance de la situation. En toutes circonstances, vous pouvez écarter les choix hasardeux grâce aux techniques que nous avons expliquées:

• Commencez par identifier votre propre style de prise de décision, et changez de méthode si la vôtre n'est pas satisfaisante.

• Construisez un arbre de décision qui vous permettra d'évaluer toutes les solutions possibles ainsi que les résultats probables, puis donnez une valeur numérique à la probabilité et à la désirabilité de chacune afin de choisir objectivement et rationnellement la ligne de conduite à suivre.

• Lorsque vous élaborez un arbre de décision, prenez en ligne de compte les facteurs subjectifs de votre personnalité, et ajustez en conséquence votre évaluation des différents résultats.

• Méfiez-vous du phénomène de déplacement du risque lorsque vous prenez des décisions en groupe, et évitez les pièges dont nous avons parlés. Rappelez-vous que dans une situation à taux élevé de risque et/ou de doute, la personne qui prend la décision est souvent désavantagée par des structures mentales inconscientes qui doivent être identifiées pour qu'à l'avenir elles puissent la servir.

Ces méthodes simples et directes vous assureront de prendre des décisions valables. Elles vous permettront de maximiser les avantages, de minimiser les risques et supprimeront les regrets.

Ceci met fin à notre cours en cinq étapes. Vous connaissez maintenant les programmes destinés à améliorer tous les aspects importants de votre vie intellectuelle. Il serait difficile de vous souvenir de tous les procédés décrits ici, ou de les appliquer sur le champ. Nous vous conseillons d'adopter quelques stratégies de base, de chacune des cinq étapes, et de les introduire progressivement à votre façon de penser, chaque fois que vous le pouvez. Une fois que vous aurez maîtrisé ces stratégies avec succès, et que vous vous en serez servi, vous pourrez en utiliser d'autres graduellement.

Afin de nous aider dans notre recherche constante sur le développement des aptitudes intellectuelles, nous apprécierions beaucoup que vous nous donniez vos impressions sur ce programme d'exercices. Dites-nous dans quelle mesure les techniques indiquées vous ont aidé à résoudre des problèmes dans votre quotidien, à prendre des décisions, ou à faire des apprentissages. Veuillez faire parvenir vos lettres à l'adresse suivante: *The Mind Potential Study Group*, 22 Queen Anne Street, London W1. UK.

Notes

1. Neisser, U., *Cognition and Reality*, San Francisco, W.H. Freeman, 1976.
2. Rosenthal, R. and Jacobson, L., *Pygmalion in the Classroom: Teacher Expectancy and Pupils' Intellectual Development*, New York, Holt, Rinehart & Winston, 1968.
3. Penfield, W., "Consciousness, Memory, and Man's Conditioned Reflexes", *On the Biology of Learning*, ed. Pribram, K., New York, Harcourt Brace Jovanovich, 1969.
4. Reiff, R. and Sheerer, M., *Memory and Hypnotic Age Regression*, New York, International University Press, 1959.
5. True, R.M., "Experimental Control in Hypnotic Age Regression," *Science*, 110, 1949, pp. 583-584.
6. Walker, N., Paper presented at American Psychological Association conference 1976.
7. Luria, A.R., *The Mind of a Mnemonist*, New York, Basic Books, 1968.
8. Stratton, G.M., "Retroactive Amnesia and Other Emotional Effects on the Memory," *Psychological Review*, 26, 1919, pp. 474-486.
9. Diamond, M., Study reported in *Psychology Today* (British), November 1978.
10. Naylor, G. and Harwood, E., "Old Dogs, New Tricks: Age and Ability," *Psychology Today*, British, April 1975, pp. 29-33.
11. Study, *Human Behavior*, May 1979, pp. 58-59.
12. Maslow, A., *The Farther Reaches of Human Behavior*, New York, Viking Press, 1971.
13. Young, J.Z., *Programs of the Brain*, Oxford, England, Oxford University Press, 1980.
14. Michaels, W., Lecture presented at the Mind Potential Study Group, London, England, 1980.
15. Mulholland, T.M., Pellegrino, J.W., and Glaser, R., "Components of Geometric Analogy Solutions," *Cognitive Psychology*, 12, 1980, pp. 252-284.
16. Sternberg, R.J., "Compotential Investigations of Human Intelligence," *Cognitive Psychology and Instruction*, ed. Lesgold, A.M. et al., New York, Plenum Press, 1978.
17. Jacobs, P.J. and Vandeventer, M. "Evaluating the Teaching of Intelligence," *Educational and Psychological Measurement*, 32, 1972, pp. 235-248.
18. Linn, M.C., "The Role of Intelligence in Children's Responses to Instruction," *Psychology in the Schools*, 10, 1973, pp. 67-75.

19. Penrose, L.S. and Raven, J.C., "A New Series of Perceptual Tests," *British Journal of Medical Psychology*, 16, 1936, part two.
20. Jacobs, P.J. and Vandeventer, M., loc. cit., reference 17.
21. Whitely, S.E. and Dawis, R., "The Effects of Cognitive Intervention on Estimates of Latent Ability Measured from Analogy Items," *Technical Report*, No. 3011, Minneapolis, University of Minnesota, 1973.
22. Willner, A., "An Experimental Analysis of Analogical Reasoning," *Psychological Reports*, 15, 1964, pp. 479-494.
23. Miller, G.A., "The Magical Number Seven Plus or Minus Two: Some Limits on Our Capacity for Storing Information," *Psychological Review*, 63, 1956, pp. 81-97.
24. Thorpe, C. and Rowland, G. "The Effect of 'Natural' Grouping of Numbers on Short-Term Memory," *Human Factors*, 7, 1965, pp. 38-44.
25. Frankel, Al and Snyder, M. "Poor Performance Following Unsolvable Problems: Learned Helplessness or Egotism?" *Journal of Personality and Social Psychology*, 36, 1978, p. 1415.
26. Pellegrino, J.W. and Schadler, M., *"Maximizing Performance in a Problem-Solving Task"*, Paper developed at the University of Pittsburgh Learning Research, and Development Center, 1974. Cited in Resnick, L.B., *The Nature of Intelligence*, New York, John Wiley & Sons, 1976.
27. Ace, M.C. and Dawis, R.V., "Item Structure as a Determinant of Item Difficulty in Verbal Analogies," *Education and Psychological Measurement*, 33, 1973, pp. 143-149.
28. Flaubert, G., *L'Éducation Sentimentale*, Paris, 1869.
29. Pask, G., "Styles and Strategies of Learning," *British Journal of Educational Psychology*, 46, 1976, pp. 128-48.
30. Collins, A.M. and Quillian, M.R., "How to Make a Language User," *Organization of Memory*, eds. Tulving E. and Donaldson, W., New York, Academic Press, 1972.
31. Atkinson, R.C., "A Stochastic Model for Rote Serial Learning," *Psychometrika*, 22, 1957, pp. 87-95; *idem*, "Ingredients for a Theory of Instruction," *American Psychologist*, 27, 1972, pp. 921-931.
32. Erdelyi, M. and Kleinbard, J., "Has Ebbinghaus Decayed with Time?: The Growth of Recall (Hypermnesia) Over Days," *Journal of Experimental Psychology*, 4, 1978, pp. 275-289.
33. Atkinson, R.C. and Raugh, M.R., "An Application of the Mnemonic Keyword Method to the Acquisition of a Russian Vocabulary" *Journal of Experimental Psychology: Human Learning and Memory*, 104, 1975, pp. 129-133.
34. Guilford, J.P., *The Nature of Human Intelligence*, New York, McGraw-Hill, 1967.
35. Wickelgren, W.A., *How to Solve Problems: Elements of a Theory of Problems and Problem-Solving*, San Francisco, W.H. Freeman & Co., 1974.
36. Duncker, K., "On Problem-Solving," *Psychological Monographs*, 270, 1945.
37. Interview with George Miller, *Psychology Today* (British), January 1980.
38. Duncker, K., loc. cit, reference 36.
39. Hoffman, B., *Albert Einstein: Creator and Rebel*, New York, New American Library, 1972.
40. Wittgenstein, L.J., *Tractatus Logico — Philosophicus* No. 5.6 in Korner, Stephan, *Fundamental Questions in Philosophy*, London, Allen Lane, The Penguin Press, 1969.

41. Whorf, B.L., in Carroll, J.B., *Language and Thought.* Englewood Cliffs, NJ, Prentice Hall, Inc., 1964.
42. Carroll, J.B., *Language and Thought,* Englewood Cliffs, NJ, Prentice-Hall, Inc., 1964.
43. Chomsky, N., *Aspects of the Theory of Syntax.* Cambridge, Mass., M.I.T. Press, 1965.
44. Ghiselin, B., *The Creative Process,* New York, New American Library, 1952.
45. Kekule, F.A. in Japp. F.R., "Kekule Memorial Lecture," *Journal of the Chemical Society,* 1898.
46. Brim, O.C. et al., *Personality and Decision Processes,* Stanford, Stanford University Press, 1962.
47. Graves, D. and Lethbridge, D., "Could Decision Analysis Have Saved Hamlet?" *Journal of Management Studies,* 12, 1975, pp. 216-224.
48. Stoner, J., "Risky and Cautious Shifts in Group Decisions: The Influence of Widely Held Values," *Journal of Experimental Social Psychology,* 4, 1968, pp. 442-459.

Bibliographie

Anastasi, Anne, *Psychological Testing* 4th ed., New York, MacMillan, 1976.

Anderson, John R. and Bower, Gordon H., *Human Associative Memory,* Silver Spring, Md., V.H. Winston & Sons, 1973.

Baddeley, Alan, *The Psychology of Memory,* New York, Harper & Row, 1976.

Bransford, John, *Human Cognition: Learning, Understanding and Remembering,* Belmont, California, Wadsworth, Inc., 1979.

Brinkers, Henry, *Decision-Making: Creativity, Judgement and Systems* Columbus, Ohio, Ohio State University Press, 1972.

Cattell, Raymond, *Abilities: Their Structure and Growth,* Boston, Houghton Mifflin Co., 1971.

Davis, Gary, *Psychology of Problem-Solving: Theory and Practice,* New York, Basic Books, 1973.

Eysenck, Hans, *The Structure and Measurement of Intelligence,* New York, Springer Publishing Co., Inc., 1979.

Ferguson, Marilyn, *The Brain Revolution,* London, Davis-Poynter, 1973.

Gagne, Robert, *The Conditions of Learning,* New York, Holt, Rinehart and Winston, 1977.

Glass, Arnold; Holyoak, Keith; and Santa, John, *Cognition,* Reading, MA, Addison-Wesley, 1979.

Milgard, Ernest, and Bower, Gordon, *Theories of Learning,* Englewood Cliffs, New Jersey, Prentice Hall, 1966.

Hofstadter, Douglas, *Gödel, Escher, Bach: An Eternal Golden Braid,* New York, Basic Books, 1979.

Horowitz, E. and Sahni, S., *Fundamentals of Data Structures,* London, Pitman, 1976.

Kramer, Edna, *The Nature and Growth of Modern Mathematics,* New York, The Hawthorn Press, 1970.

Lee, Wayne, *Decision Theory and Human Behavior,* New York, John Wiley and Sons, 1971.

Lesgold, Alan; Pellegrino, James; Fokkema, Sipke; and Glaser, Robert, *Cognitive Psychology and Instruction,* New York, Plenum Press, 1978.

Lindsay, Peter, and Norman, Donald, *Human Information Processing,* New York, Academic Press, 1972.

Marx, Melvin, *Learning: Theories,* New York, MacMillan, 1970.

Milner, Peter, *Physiological Psychology,* New York, Holt, Rinehart and Winston, 1970.

Newell, Allen and Simon, Herbert, *Human Problem-Solving,* Englewood Cliffs, New Jersey, Prentice Hall, 1972.

Nilsson, Lars, *Perspective on Memory Research,* Hillsdale, New Jersey, Lawrence Erlbaum, 1979.

Nilsson, Nils, *Problem-Solving Methods in Artificial Intelligence,* New York, McGraw-Hill, 1971.

Norman, Donald, *Memory and Attention: An Introduction to Human Information Processing,* New York, John Wiley, 1976.

Prather, R.E., *Discrete Mathematical Structures in Computer Science,* Boston, Houghton Mifflin, 1976.

Resnick, Lauren, *The Nature of Intelligence,* Hillsdale, New Jersey, Lawrence Erlbaum, 1976.

Rumelhart, David, *Introduction to Human Information Processing,* New York, John Wiley, 1977.

Tarpy, Roger, and Mayer, Richard, *Foundations of Learning and Memory,* Glenview, Il., Scott, Foresman, 1978.

Wason, Peter and Johnson-Laird, Philip, *The Psychology of Reasoning,* London: Batesford, 1972.

Weizenbaum, J., *Computer Power and Human Reason,* San Francisco, W.H. Freeman, 1976.

Winston, Patrick, *Artificial Intelligence,* Reading, MA, Addison-Wesley, 1979.

Wulf, William; Shaw, Mary; Hilfinger, Paul; and Flon, Lawrence, *Fundamental Structures of Computer Science,* Reading, MA, Addison-Wesley, 1981.

Table des matières

Ouvrages parus chez

 le jour,
éditeur

COLLECTION BEST-SELLERS

* **Comment aimer vivre seul,** Lynn Shahan
* **Comment faire l'amour à une femme,** Michael Morgenstern
* **Comment faire l'amour à un homme,** Alexandra Penney

* **Grand livre des horoscopes chinois, Le,** Theodora Lau
  Maîtriser la douleur, Meg Bogin
  Personne n'est parfait, Dr H. Weisinger, N.M. Lobsenz

COLLECTION ACTUALISATION

* **Agressivité créatrice, L',** Dr G.R. Bach, Dr H. Goldberg
* **Aider les jeunes à choisir,** Dr S.B. Simon, S. Wendkos Olds
  Au centre de soi, Dr Eugene T. Gendlin
  Clefs de la confiance, Les, Dr Jack Gibb
* **Enseignants efficaces,** Dr Thomas Gordon
  États d'esprit, Dr William Glasser

* **Être homme,** Dr Herb Goldberg
* **Jouer le tout pour le tout,** Carl Frederick
* **Mangez ce qui vous chante,** Dr L. Pearson, Dr L. Dangott, K. Saekel
* **Parents efficaces,** Dr Thomas Gordon
* **Partenaires,** Dr G.R. Bach, R.M. Deutsch
  Secrets de la communication, Les, R. Bandler, J. Grinder

COLLECTION VIVRE

* **Auto-hypnose, L',** Leslie M. LeCron
  Chemin infaillible du succès, Le, W. Clement Stone
* **Comment dominer et influencer les autres,** H.W. Gabriel
  Contrôle de soi par la relaxation, Le, Claude Marcotte
  Découvrez l'inconscient par la parapsychologie, Milan Ryzl
  Espaces intérieurs, Les, Dr Howard Eisenberg

  Être efficace, Marc Hanot
  Fabriquer sa chance, Bernard Gittelson
  Harmonie, une poursuite du succès, L', Raymond Vincent
* **Miracle de votre esprit, Le,** Dr Joseph Murphy
* **Négocier, entre vaincre et convaincre,** Dr Tessa Albert Warschaw

Autres ouvrages parus aux Éditions du Jour

ALIMENTATION ET SANTÉ

ART CULINAIRE

Armoire aux herbes, L', Jean Mary

Bien manger et maigrir, L. Mercier,
C.B. Garceau, A. Beaulieu

Cuisine canadienne, La, Jehane
Benoit

Cuisine du jour, La, Robert Pauly

Cuisine roumaine, La, Erastia Peretz

Recettes et propos culinaires, Soeur
Berthe

Recettes pour homme libre, Lise
Payette

Recettes de Soeur Berthe — été,
Soeur Berthe

Recettes de Soeur Berthe — hiver,
Soeur Berthe

Recettes de Soeur Berthe — printemps, Soeur Berthe

Une cuisine toute simple,
S. Monange, S. Chaput-Rolland

Votre cuisine madame, Germaine
Gloutnez

DOCUMENTS ET BIOGRAPHIES

100 000ième exemplaire, Le,
J. Dufresne, S. Barbeau

40 ans, âge d'or, Eric Taylor

Administration en Nouvelle-France,
Gustave Lanctôt

Affrontement, L', Henri Lamoureux

Baie James, La, Robert Bourassa

Cent ans d'injustice, François Hertel

Comment lire la Bible, Abbé Jean
Martucci

Crise d'octobre, La, Gérard Pelletier

Crise de la conscription, La, André
Laurendeau

D'Iberville, Jean Pellerin

Dangers de l'énergie nucléaire, Les,
Jean-Marc Brunet

Dossier pollution, M. Chabut,
T. LeSauteur

Énergie aujourd'hui et demain, François L. de Martigny

Équilibre instable, L', Louise Deniset

Français, langue du Québec, Le,
Camille Laurin

Grève de l'amiante, La, Pierre Elliott
Trudeau

Hiérarchie ethnique dans la grande
entreprise, Jean-Marie Rainville

Histoire de Rougemont, L', Suzanne
Bédard

Hommes forts du Québec, Les, Ben
Weider

Impossible Québec, Jacques Brillant

Joual de Troie, Le, Marcel Jean

Louis Riel, patriote, Martwell Bows-
field

Mémoires politiques, René Chalout

Moeurs électorales dans le Québec,
Les, J. et M. Hamelin

Pêche et coopération au Québec,
Paul Larocque

Peinture canadienne contemporaine,
La, William Withrow

Philosophie du pouvoir, La, Martin
Blais

Pourquoi le bill 60? Paul Gérin-Lajoie

Rébellion de 1837 à St-Eustache,
La, Maximilien Globensky

Relations des Jésuites, T. II

Relations des Jésuites, T. III

Relations des Jésuites, T. IV

Relations des Jésuites, T. V

ENFANCE ET MATERNITÉ

Enfants du divorce se racontent, Les, Bonnie Robson

Famille moderne et son avenir, La, Lynn Richards

ENTREPRISE ET CORPORATISME

Administration et la prise, L', P. Filiatrault, Y.G. Perreault

Administration, développement, M. Laflamme, A. Roy

Assemblées délibérantes, Claude Béland

Assoiffés du crédit, Les, Fédération des A.C.E.F. du Québec

Coopératives d'habitation, Les, Murielle Leduc

Mouvement coopératif québécois, Gaston Deschênes

Stratégie et organisation, J.G. Desforges, C. Vianney

Vers un monde coopératif, Georges Davidovic

GUIDES PRATIQUES

550 métiers et professions, Françoise Charneux Helmy

Astrologie et vous, L', André-Pierre Boucher

Backgammon, Denis Lesage

Bridge, notions de base, Denis Lesage

Choisir sa carrière, Françoise Charneux Helmy

Croyances et pratiques populaires, Pierre Desruisseaux

Décoration, La, D. Carrier, N. Houle

Des mots et des phrases, T. I, Gérard Dagenais

Des mots et des phrases, T. II, Gérard Dagenais

Diagrammes de courtepointes, Lucille Faucher

Dis papa, c'est encore loin?, Francis Corpatnauy

Douze cents nouveaux trucs, Jeanne Grisé-Allard

Encore des trucs, Jeanne Grisé-Allard

Graphologie, La, Anne-Marie Cobbaert

Greffe des cheveux vivants, La, Dr Guy, Dr B. Blanchard

Guide de l'aventure, N. et D. Bertolino

Guide du chat et de son maître, Dr L. Laliberté-Robert, Dr J.P. Robert

Guide du chien et de son maître, Dr L. Laliberté-Robert, Dr J.P. Robert

Macramé-patrons, Paulette Hervieux

Mille trucs, madame, Jeanne Grisé-Allard

Monsieur Bricole, André Daveluy
Petite encyclopédie du bricoleur, André Daveluy
Parapsychologie, La, Dr Milan Ryzl
Poissons de nos eaux, Les, Claude Melançon
Psychologie de l'adolescent, La, Françoise Cholette-Pérusse
Psychologie du suicide chez l'adolescent, La, Brenda Rapkin
Qui êtes-vous? L'astrologie répond, Tiphaine

Régulation naturelle des naissances, La, Art Rosenblum
Sexualité expliquée aux enfants, La, Françoise Cholette-Pérusse
Techniques du macramé, Paulette Hervieux
Toujours des trucs, Jeanne Grisé-Allard
Toutes les races de chats, Dr Louise Laliberté-Robert
Vivre en amour, Isabelle Lapierre-Delisle

LITTÉRATURE

À la mort de mes vingt ans, P.O. Gagnon
Ah! mes aïeux, Jacques Hébert
Bois brûlé, Jean-Louis Roux
C't'a ton tour, Laura Cadieux, Michel Tremblay
Coeur de la baleine bleue, (poche), Jacques Poulin
Coffret Petit Jour, Abbé J. Martucci, P. Baillargeon, J. Poulin, M. Tremblay
Colin-maillard, Louis Hémon
Contes pour buveurs attardés, Michel Tremblay
Contes érotiques indiens, Herbert T. Schwartz
De Z à A, Serge Losique
Deux millième étage, Roch Carrier
Le dragon d'eau, R.F. Holland
Éternellement vôtre, Claude Péloquin
Femme qu'il aimait, La, Martin Ralph
Filles de joie et filles du roi, Gustave Lanctôt
Floralie, où es-tu?, Roch Carrier
Fou, Le, Pierre Châtillon
Il est par là le soleil, Roch Carrier

J'ai le goût de vivre, Isabelle Delisle
J'avais oublié que l'amour fût si beau, Yvette Doré-Joyal
Jean-Paul ou les hasards de la vie, Marcel Bellier
Jérémie et Barabas, F. Gertel
Johnny Bungalow, Paul Villeneuve
Jolis deuils, Roch Carrier
Lapokalipso, Raoul Duguay
Lettre à un Français qui veut émigrer au Québec, Carl Dubuc
Lettres d'amour, Maurice Champagne
Une lune de trop, Alphonse Gagnon
Ma chienne de vie, Jean-Guy Labrosse
Manifeste de l'infonie, Raoul Duguay
Marche du bonheur, La, Gilbert Normand
Meilleurs d'entre nous, Les, Henri Lamoureux
Mémoires d'un Esquimau, Maurice Métayer
Mon cheval pour un royaume, Jacques Poulin
N'Tsuk, Yves Thériault
Neige et le feu, La, (poche), Pierre Baillargeon

SPORTS

Imprimé au Canada/Printed in Canada

01